DARNAU GWRANDO

Cyhoeddwyd gan CBAC

Cymraeg i Oedolion
CBAC
245 Rhodfa'r Gorllewin
CAERDYDD
CF5 2YX

Argraffwyd gan Zenith Media
Arqraffiad cyntaf 2014

ISBN: 978-1-86085-688-4

Diolch i Non ap Emlyn, Cris Dafis, Elwyn Hughes, Elin Meek a Kate Morrow am eu sylwadau ar y cynnwys.

Lleiswyr: Nia Elin, Rhys ap William, Olwen Rees, Gareth Roberts

Awdur: Emyr Davies
Dylunydd: Olwen Fowler

Lluniau: iClipart, Shutterstock

Noddwyd gan Lywodraeth Cymru

Rhagarweiniad

O ystyried y sgiliau iaith, *gwrando* yw'r sgìl a ddefnyddir amlaf mewn bywyd go iawn. Amcangyfrifir mai dyma'r sgìl a ddefnyddiwn am 50% o'r amser; byddwn yn siarad am 25% o'r amser a llai fyth yn darllen neu'n ysgrifennu. Mae'n sgìl hefyd a gymerir yn ganiataol, neu a anwybyddir yn llwyr wrth ddysgu. Gwyddys fod gwrando (a methu â deall) yn achosi llawer o ddiflastod a rhwystredigaeth i ddysgwyr, felly mae'n bwysig eu paratoi i glywed llif ieithyddol annealladwy heb deimlo fel methiant. Ar y llaw arall, mae'r boddhad a geir o fod wedi deall rhywbeth, *unrhyw* beth, yn gallu bod yn beth cadarnhaol ac ysgogol iawn.

Mae hwn yn gasgliad o ddarnau gwrando i'w defnyddio mewn dosbarthiadau Cymraeg i Oedolion, ynghyd â syniadau am sut i'w defnyddio yn y dosbarth. Bydd y darnau'n ddefnyddiol wrth baratoi ymgeiswyr i sefyll yr arholiadau Mynediad, Sylfaen a Chanolradd yn y gyfres o arholiadau i oedolion sy'n dysgu Cymraeg.

Er mai at ddibenion asesu sgiliau gwrando y mae'r prawf yn yr arholiad, mae modd defnyddio'r darnau mewn ffyrdd amgen a hwyliog, sydd yn ymarfer defnyddiol i bawb yn y dosbarth hyd yn oed os nad ydyn nhw'n bwriadu sefyll arholiad.

Mae'r CD sy'n rhan o'r pecyn hwn yn cynnwys y ffeiliau sain i gyd ar fformat mp3. Darnau wedi eu sgriptio a'u recordio'n benodol ydyn nhw, nid darnau dilys o'r radio. Ceir fersiynau'r de a fersiynau'r gogledd, ac eithrio bwletin newyddion ar lefel Canolradd. Erbyn hynny, disgwylir i ddysgwyr i fod yn gyfarwydd â rhai nodweddion ieithyddol lled ffurfiol. Nid oes bylchau ar y traciau fel sydd ar y CDs a ddefnyddir yn y profion eu hunain; rhaid i'r tiwtor wasgu'r botwm i oedi ac ailchwarae'r trac. Mae rhestr o beth sydd ar bob trac ar dudalennau 6–7.

Mae'n bosibl y bydd y darn gwrando yn yr arholiad yn asesu amrywiaeth o batrymau a geirfa. Fodd bynnag, mae'r darnau yn y pecyn hwn yn canolbwyntio ar nodweddion iaith neu themâu penodol, e.e. deialog yn canolbwyntio ar siarad yn y gorffennol. Bydd hyn yn caniatáu i'r tiwtor eu defnyddio ynghynt, heb orfod aros tan ddiwedd y flwyddyn. Dylid cofio wrth gwrs am y cyn-bapurau arholiad sydd ar gael am ddim ar wefan CBAC. Mae hon yn ffynhonnell ddefnyddiol o ddarnau gwrando a fydd yn helpu dysgwyr wrth baratoi i sefyll arholiad.

Does dim modd 'ynysu' sgìl gwrando'n llwyr. Hynny yw, rhaid *darllen* y cwestiwn, neu *ysgrifennu* ateb (neu ddweud yr ateb ar lafar wrth eraill o bosib). Mae perygl weithiau i'r cwestiwn fod yn fwy cymhleth na'r testun a glywir. Os yw'r dysgwyr yn dweud eu bod yn deall y darn, ond ddim yn deall y cwestiwn a osodir, mae hynny'n broblem wrth ddysgu yn y dosbarth ac yn broblem waeth wrth asesu. Ceisir cadw'r cwestiynau mor syml â phosibl, gan gadw o fewn cyrraedd yr hyn a ddylai fod yn gyfarwydd i ddysgwyr ar y lefelau gwahanol – ond heb droi i'r Saesneg. Dyna'r rheol aur.

Sonnir weithiau am 'naturioldeb' neu 'ddilysrwydd' mewn darnau gwrando, ac mae rhai'n dweud nad oes diben defnyddio darnau wedi eu sgriptio a'u recordio gan nad yw hynny'n paratoi dysgwyr i wrando a deall yn y byd go iawn. Mae iaith sgriptiedig yn wahanol, ydy: does dim hanner brawddegau, dim iaith wastraff (mm.. ond... haha...) ac yn y blaen. Tuedda iaith testun sydd wedi ei sgriptio fod yn arafach ac wedi ei chynanu'n glir. Mae iaith sgwrsio pob dydd fel arfer mewn darnau byrrach, annhaclus a'r iaith yn cael ei thalfyrru, a'i thrwsio wrth fynd ymlaen. Mae siaradwyr go iawn yn ailadrodd ac yn aralleirio'u hunain drwy'r amser. Gan amlaf hefyd wrth sgwrsio go iawn, mae'r gwrandäwr yn ymwybodol o fwriad y siaradwr ac yn defnyddio cliwiau gweledol, fel iaith y corff a'r wyneb, i ganfod yr ystyr. Fodd bynnag, y bwriad yn y pecyn hwn yw rhoi cyfle i'r dysgwr wrando a deall heb y rhwystredigaeth o wrando ar siaradwyr aneglur, gorgyflym sy'n tueddu i ailadrodd ac aralleirio. Defnyddir actorion neu leiswyr proffesiynol yn y darnau, a cheisir bod mor naturiol a dilys â phosibl, gan gydbwyso hynny â bod yn ddigon clir ac yn ddigon araf. Dywed dysgwyr yn aml mai cyflymder y dweud sy'n eu taflu. O feithrin sgiliau gwrando ar iaith sydd ychydig yn arafach, gall hynny roi hyder iddyn nhw droi at y radio neu'r teledu, neu'n well fyth i sgwrsio â siaradwyr rhugl.

Mae angen bod yn ymwybodol o'r ffaith fod gan nifer o oedolion broblemau clyw, ac os oes unigolion yn y dosbarth yn cael trafferth, gall fod yn brofiad diflas gwneud tasgau gwrando. Rhaid ystyried ffyrdd o gynnal yr unigolion hynny: naill ai darparu peiriant chwarae CDs bach unigol iddynt, neu roi'r sgript iddynt ei darllen tra bydd pawb arall yn gwrando. Mae hawl gan ymgeiswyr arholiad gael eu heithrio o'r prawf hwn os ydynt yn cyflwyno tystiolaeth eu bod yn drwm eu clyw. Mewn dosbarth, dylai'r tiwtor fod yn ymwybodol o unrhyw anghenion felly.

Fel rheol, mae ymgeiswyr yn yr arholiad yn cael clywed y darnau dair gwaith. Yn ystod yr ail wrandawiad, mae toriad neu fylchau byrion ychwanegol a digon o amser i ysgrifennu rhwng y gwrandawiadau ac ar ôl gorffen. Does dim rhaid glynu wrth hyn yn y dosbarth: mae'n bosib y bydd y dysgwyr wedi deall popeth ar ôl un neu ddau wrandawiad; neu fel arall, bydd angen gwrando fwy na theirgwaith.

Mae mathau gwahanol o wrando. Gellir gwrando i gael hyd i wybodaeth benodol, gwrando i gael prif neges, neu wrando i gael argraff o fwriad neu deimlad y siaradwr. Mae llawer o ystyr yn cael ei drosglwyddo wrth wrando ar oslef, traw, cyflymder – pethau nad ydyn nhw'n ymwneud yn uniongyrchol ag iaith. Mae gwrando a deall yn ymwneud â mwy na deall casgliad o batrymau neu eirfa. Gweler astudiaeth gynhwysfawr Gary Buck yn *Assessing Listening* (2001, cyfres *Cambridge Language Assessment*, Gwasg Prifysgol Caergrawnt) lle trafodir prosesau amrywiol gwrando a'r ffactorau gwahanol sy'n effeithio ar wrando llwyddiannus. Yn yr arholiadau Cymraeg i oedolion, ceisir amrywio'r mathau o wrando o fewn y lefelau gwahanol, e.e. wrth wrando ar hysbysiadau ar lefel Mynediad, rhaid canolbwyntio ar ddau ddarn o wybodaeth allweddol, sef amser dechrau a phris mynediad y digwyddiad. Ar lefel Canolradd, rhaid i'r dysgwyr fedru 'casglu' (*infer*) o'r darn beth yw'r ystyr, ac felly rhaid deall bwriad y siaradwr neu ergyd yr hyn y mae'n ei ddweud.

Mewn profion goddefol – gwrando a darllen – mae'r testun yn cynnwys nifer o wrthdynwyr ('distractors'), sef pethau i dynnu sylw a chamarwain ymgeiswyr gwan. Nid bod yn dwyllodrus ac yn gamarweiniol yw'r nod mewn gwirionedd, ond gorfodi'r dysgwyr i ddangos dealltwriaeth fwy cyflawn o'r testun. Bydd y rhai sydd heb ddeall llawer yn neidio ar ymadrodd neu air sy'n swnio fel ateb posibl, ac mae angen sicrhau cyhyd â phosibl nad mater o hap a damwain yw hi eu bod wedi rhoi'r ateb cywir.

Tuedd llawer o ddysgwyr yw teimlo eu bod yn gorfod deall pob gair mewn testun. Rhaid eu hannog i beidio â theimlo felly, a phwysleisio bod anwybyddu'r geiriau neu'r darnau annealladwy'n gam hanfodol at ddod yn ddysgwr llwyddiannus.

Gobeithio bydd dysgwyr a thiwtoriaid fel ei gilydd yn cael mwynhad o'r darnau hyn.

Emyr Davies

Cynnwys y CD

		Fformat y dasg	Tudalen
Mynediad			
De	Trac 1	Deialog 1	10
	Trac 2	Deialog 2	17
	Trac 3	Deialog 3	22
	Trac 4	Deialog 4	27
	Trac 5	Bwletin Tywydd 1	35
	Trac 6	Bwletin Tywydd 2	35
	Trac 7	Bwletin Tywydd 3	35
	Trac 8	Bwletin Tywydd 4	35
	Trac 9	Amserau a phrisiau 1	40
	Trac 10	Amserau a phrisiau 2	43
	Trac 11	Amserau a phrisiau 3	46
	Trac 12	Amserau a phrisiau 4	49
Gogledd	Trac 13	Deialog 1	11
	Trac 14	Deialog 2	18
	Trac 15	Deialog 3	23
	Trac 16	Deialog 4	28
	Trac 17	Bwletin Tywydd 1	36
	Trac 18	Bwletin Tywydd 2	36
	Trac 19	Bwletin Tywydd 3	36
	Trac 20	Bwletin Tywydd 4	36
	Trac 21	Amserau a phrisiau 1	41
	Trac 22	Amserau a phrisiau 2	44
	Trac 23	Amserau a phrisiau 3	47
	Trac 24	Amserau a phrisiau 4	50
Atebion Mynediad			51
Sylfaen			
De	Trac 25	Negeseuon ffôn 1	56
	Trac 26	Negeseuon ffôn 2	59
	Trac 27	Negeseuon ffôn 3	62
	Trac 28	Negeseuon ffôn 4	65
	Trac 29	Eitem 1	71

		Fformat y dasg	Tudalen
	Trac 30	Eitem 2	75
	Trac 31	Eitem 3	79
	Trac 32	Eitem 4	83
	Trac 33	Llenwi ffurflen 1	88
	Trac 34	Llenwi ffurflen 2	91
	Trac 35	Llenwi ffurflen 3	94
	Trac 36	Llenwi ffurflen 4	97
Gogledd	Trac 37	Negeseuon ffôn 1	57
	Trac 38	Negeseuon ffôn 2	60
	Trac 39	Negeseuon ffôn 3	63
	Trac 40	Negeseuon ffôn 4	66
	Trac 41	Eitem 1	72
	Trac 42	Eitem 2	76
	Trac 43	Eitem 3	80
	Trac 44	Eitem 4	84
	Trac 45	Llenwi ffurflen 1	89
	Trac 46	Llenwi ffurflen 2	92
	Trac 47	Llenwi ffurflen 3	95
	Trac 48	Llenwi ffurflen 4	98
Atebion Sylfaen			99/100

Canolradd

De	Trac 49	Deialog 1	104
	Trac 50	Deialog 2	107
	Trac 51	Deialog 3	110
Gogledd	Trac 52	Deialog 1	105
	Trac 53	Deialog 2	108
	Trac 54	Deialog 3	111
	Trac 55	Bwletin newyddion 1	115
	Trac 56	Bwletin newyddion 2	117
	Trac 57	Bwletin newyddion 3	119
Atebion Canolradd			120

Awgrymiadau i'r Tiwtor

Mae'r darn hwn yn canolbwyntio ar un patrwm penodol – meddiant. Hon yw'r gystrawen sy'n wahanol iawn rhwng gogledd a de, felly rhoddir y cwestiynau'n llawn ar wahân. Mae'n addas i'w ddefnyddio wrth sôn am aelodau'r teulu a faint o blant sydd gan bobl.

1. Mae hwn ychydig yn wahanol i'r arholiad ei hun. Yn syml iawn, rhaid cysylltu nifer y plant (neu gathod!) â'r enw cywir, drwy ysgrifennu'r enw cywir wrth y llun. Os nad oes modd llungopïo'r daflen, gellir rhoi'r enwau ar y bwrdd gwyn a gofyn i bawb nodi faint o blant neu anifeiliaid sydd gan bawb.

Gareth	dau fab ac un ferch	dau hogyn ac un hogan
John	dwy ferch	dwy hogan
Ann	pedair cath	pedair cath
Mair	dau fab	dau hogyn
Melisa	un mab	un hogyn

2. Ar ôl gorffen y dasg gellir holi am berthynas pawb â'i gilydd, e.e.

Pwy yw/ydy John?	Brawd Gareth
Pwy yw/ydy Catrin?	Merch Gareth
Pwy yw/ydy Ann?	Chwaer Gareth
Pwy yw/ydy Jac a Tomos?	Plant Mair
Pwy yw/ydy Melisa?	Chwaer Mair
Pwy yw/ydy Fflyffi?	Cath Ann (er difyrrwch!)

Neu wrth gwrs, gellir gofyn y cwestiynau o chwith, e.e.

Pwy yw/ydy brawd Gareth?
Pwy yw/ydy merch Gareth?
Pwy yw/ydy chwaer Gareth?
Pwy yw/ydy plant Mair?

ac yn y blaen. Os yw'r dysgwyr eisoes wedi gwneud 'oedd/roedd' fel rhan o'r cwrs, gellir holi gan ddefnyddio ffurfiau'r amherffaith, e.e.

Pwy oedd John?
Pwy oedd chwaer Mair?

3. Gyda dosbarthiadau da, gellir dosbarthu'r sgript, a gofyn iddyn nhw newid nifer y plant/cathod sydd gan bawb, yna darllen y ddeialog newydd i'r dosbarth cyfan.

4. Wrth drafod ymhellach, gellir holi'r dosbarth am eu teuluoedd a'u hanifeiliaid anwes a chynnwys eitemau geirfa eraill, e.e. mam-gu/nain, ci, pysgodyn aur. Gellir defnyddio'r lluniau fel sbardunau i siarad am aelodau eraill y dosbarth wedyn, e.e. Mae un mab gyda Margaret/Mae gan Margaret un hogyn; Does dim ci gyda Tom/Does gan Tom ddim ci.

Cwestiynau

Dewiswch yr enw cywir o'r isod a'i ysgrifennu wrth y llun priodol:

Choose the correct name from the list below and write it next to the appropriate picture:

Gareth John Ann Mair Melisa

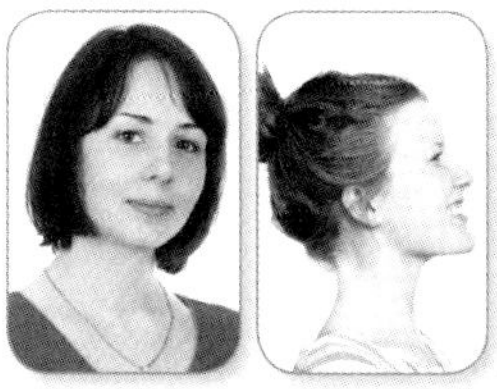

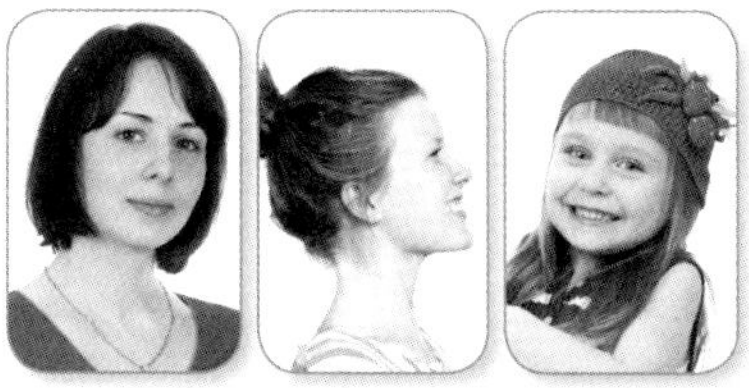

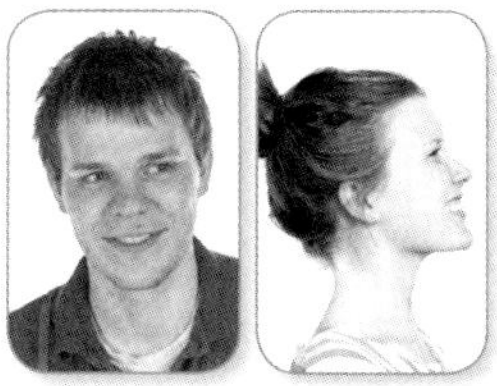

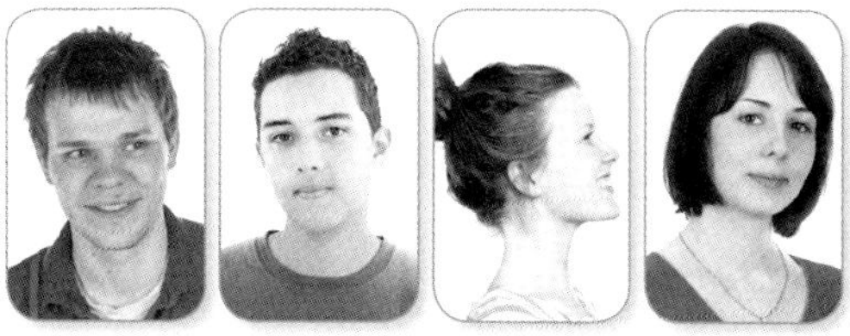

Mynediad
Deialog 1, Trac 1

Sgript

Fersiwn y De

Mae Gareth a Mair yn cwrdd ar y ffordd i'r ysgol.

Mair: Helo Gareth, sut wyt ti?

Gareth: Iawn, diolch Mair.

Mair: A sut mae'r teulu?

Gareth: Da iawn. Mae tri o blant gyda fi nawr, dau fab a merch fach o'r enw Catrin.

Mair: Da iawn ti. A sut mae John dy frawd?

Gareth: Iawn, diolch yn fawr. Mae dau o blant gyda fe nawr – dwy ferch.

Mair: John? Dau o blant? Wel, wel. A beth am Ann dy chwaer di?

Gareth: Ha, ha, mae pedair cath gyda hi!

Mair: Pedair cath!

Gareth: Beth am dy deulu di?

Mair: O, mae fy mhlant i'n hapus iawn yma. Mae Jac a Tomos ym mlwyddyn pedwar.

Gareth: Wel, wel, blwyddyn pedwar yn barod.

Mair: Ie. Maen nhw'n mynd i aros gyda fy chwaer i heno.

Gareth: Dy chwaer di Melisa? Sut mae hi?

Mair: Mae hi'n iawn. Mae un mab gyda hi nawr.

Gareth: Oes wir? Da iawn. A, dyma'r plant yn dod. Pob hwyl, Mair.

Mair: Hwyl, Gareth.

Sgript

Fersiwn y Gogledd

Mae Gareth a Mair yn cyfarfod ar y ffordd i'r ysgol.

Mair: Helo Gareth, sut wyt ti?
Gareth: Iawn, diolch Mair.
Mair: A sut mae'r teulu?
Gareth: Da iawn. Mae gen i dri o blant rŵan, dau hogyn a hogan fach o'r enw Catrin.
Mair: Da iawn ti. A sut mae John dy frawd di?
Gareth: Iawn, diolch yn fawr. Mae gynno fo ddau o blant rŵan – dwy hogan.
Mair: John? Dau o blant? Wel, wel. A be' am Ann dy chwaer di?
Gareth: Ha, ha, mae gynni hi bedair cath!
Mair: Pedair cath!
Gareth: Be' am dy deulu di?
Mair: O, mae fy mhlant i'n hapus iawn yma. Mae Jac a Tomos ym mlwyddyn pedwar.
Gareth: Wel, wel, blwyddyn pedwar yn barod.
Mair: Ia. Maen nhw'n mynd i aros efo fy chwaer i heno.
Gareth: Dy chwaer di Melisa? Sut mae hi?
Mair: Mae hi'n iawn. Mae gynni hi un hogyn rŵan.
Gareth: Oes wir? Da iawn. A, dyma'r plant yn dŵad. Pob hwyl, Mair.
Mair: Hwyl, Gareth.

Awgrymiadau i'r Tiwtor

Mae'r darn hwn yn canolbwyntio'n bennaf ar y gorffennol ac ar ddiddordebau, felly'n addas i'w ddefnyddio pan fydd angen adolygu hynny yn ystod y cwrs. Rhaid bod y dysgwyr yn gyfarwydd â 'Roedd' ac â disgrifio'r tywydd gan ddefnyddio'r amherffaith.

1. Mae dysgwyr yn ei chael hi'n haws deall darn os yw'r testun, yr eirfa a'r cystrawennau'n ffres yn eu meddyliau. Wrth ragbaratoi, awgrymir bod y tiwtor yn gofyn cwestiynau fel yr isod i bawb, yna'u rhannu'n barau i'w gofyn i'w gilydd.

Ble aethoch chi ar eich gwyliau diwetha?	Lle wnaethoch chi fynd ar eich gwyliau diwetha?
Beth wnaethoch chi?	Be' wnaethoch chi?

   Gellir rhoi'r cwestiynau ar y bwrdd gwyn i'w hatgoffa.

2. Mae'n werth ymgyfarwyddo ag enwau Cymraeg rhai gwledydd, er mwyn gallu trafod gwyliau. Does dim disgwyl i ddysgwyr lefel Mynediad wybod enwau llai cyffredin fel Yr Iseldiroedd neu'r Ynysoedd Dedwydd, ond mae llawer yn hawdd eu dyfalu, e.e. Portiwgal, Sweden. Awgrymir defnyddio map o Ewrop, a pharatoi labeli (neu 'post-its') gyda'r enwau Cymraeg arnynt. Dyma enwau cyffredin posibl:

Cymru	Sbaen	Lloegr	Ffrainc
Yr Alban	Yr Eidal	Iwerddon	Yr Almaen

   Gellir gofyn i wirfoddolwyr ddod ymlaen a sticio'r labeli ar y map yn y mannau cywir. Does dim angen llawer o wybodaeth ddaearyddol i wneud hyn! Mae'n gyfle wedyn i ymarfer cwestiynau 'wedi bod' ac 'eisiau', e.e.

   Wyt ti wedi bod yn ______________ ?
   Wyt ti eisiau/isio mynd i ______________ ?

   Gellir gofyn i bawb am ragor o enwau'n dechrau â Llan... neu Aber...

3. Cyn gwrando ar y ddeialog, gellir rhoi'r cwestiynau – heb yr atebion amlddewis – ar y bwrdd:

I ble aeth Daniel dros y Nadolig?	I le wnaeth Daniel fynd dros y Nadolig?
Beth wnaeth Daniel yno?	Be' wnaeth Daniel yno?

   ac yn y blaen.

   Rhaid i'r dosbarth ddyfalu'r atebion o'r cwestiynau'n unig (cyn clywed y darn o gwbl). Gall hyn fod yn hwyl, ond dylid gwneud yn siŵr fod y dyfalu'n digwydd yn Gymraeg.

4. Gellir defnyddio'r daflen â'r cwestiynau arni i greu brawddegau am aelodau'r dosbarth, e.e.

Aeth Steve i Lundain dros y Nadolig	Mi wnaeth Steve fynd i Lundain dros y Nadolig
Dawnsiodd e yno	Mi wnaeth o ddawnsio yno
Aeth Gwen i Ffrainc dros y Nadolig	Mi wnaeth Gwen fynd i Ffrainc dros y Nadolig
Darllenodd hi yno	Mi wnaeth hi ddarllen yno

Mynediad
Deialog 2, Trac 2

Cwestiynau

Fersiwn y De

1. I ble aeth Daniel dros y Nadolig?

a. 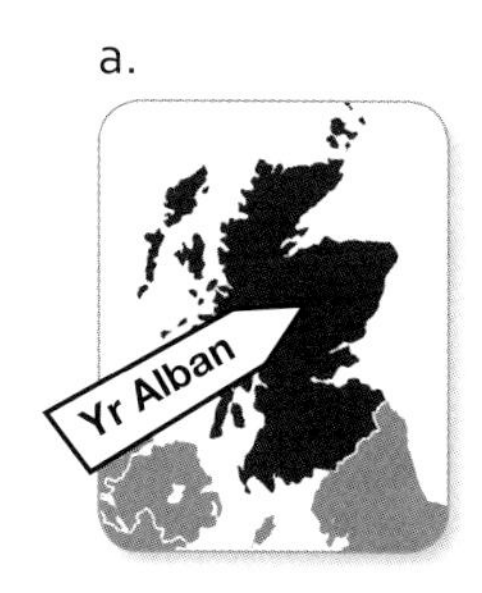

b. 

c. 

ch. 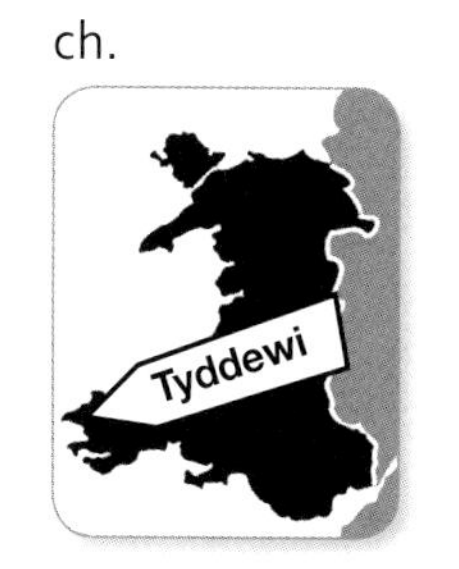

☐

2. Beth wnaeth Daniel yno?

a. 

b. 

c. 

ch. 

☐

3. I ble aeth Gwen dros y Nadolig?

a. b. c. ch.

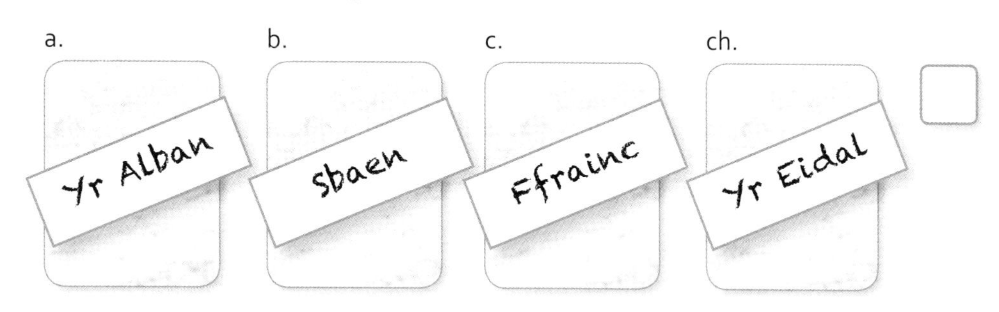

☐

4. Beth wnaeth Gwen yno?

a. 

b. 

c. 

ch. 

☐

5. I ble aeth Gwen llynedd?

a. b. c. ch.

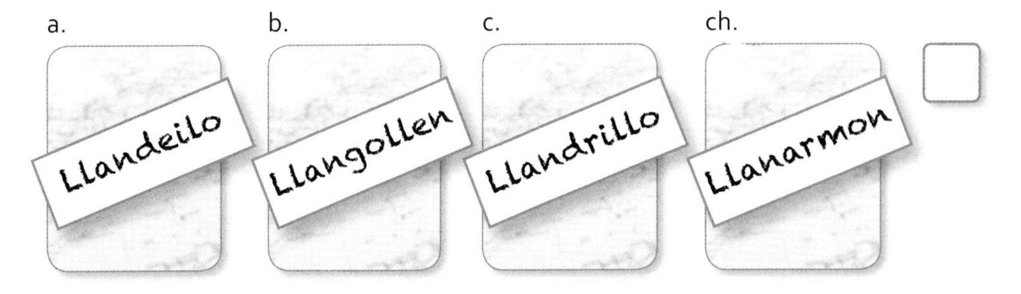

6. Beth welodd hi yno?

a. b. c. ch.

7. Ble aeth mab Gwen dros y Nadolig?

a. b. c. ch.

8. Sut aeth Daniel ar wyliau?

a. b. c. ch.

Mynediad
Deialog 2, Trac 14

Cwestiynau

Fersiwn y Gogledd

1. Lle wnaeth Daniel fynd dros y Nadolig?

a.

b.

c.

ch.

☐

2. Be' wnaeth Daniel yno?

a.

b.

c.

ch.

☐

3. Lle wnaeth Gwen fynd dros y Nadolig?

a. b. c. ch.

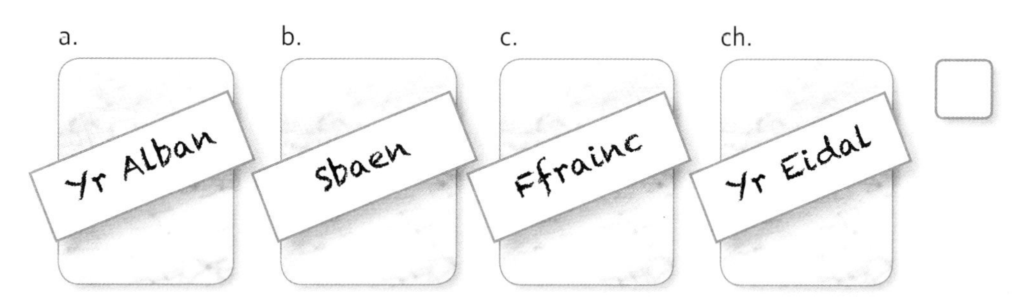

☐

4. Be' wnaeth Gwen yno?

a.

b.

c.

ch.

☐

5. Lle wnaeth Gwen fynd llynedd?

6. Be' wnaeth hi weld yno?

7. Lle wnaeth hogyn / mab Gwen fynd dros y Nadolig?

8. Sut wnaeth Gareth fynd ar wyliau?

Sgript

Fersiwn y De

Mae Daniel a Gwen yn cwrdd ar y stryd ym mis Ionawr.

Daniel: Blwyddyn newydd dda Gwen!
Gwen: A blwyddyn newydd dda i ti Daniel. Beth wnest ti dros y gwyliau?
Daniel: Es i i'r Alban i weld y teulu.
Gwen: Roedd hi'n oer iawn, siŵr o fod.
Daniel: Oedd, ond roedd hi'n sych. Aethon ni i gerdded bob dydd. Beth amdanat ti a'r gŵr?
Gwen: Aethon ni i Sbaen. Roedd hi'n braf eistedd yn yr haul bob dydd. Wnes i ddim byd, dim ond darllen. Dw i eisiau mynd yn ôl!

Daniel: Dych chi'n mynd i Sbaen bob blwyddyn?
Gwen: Nac ydyn. Llynedd aethon ni i weld y mab a'i deulu fe yn Llangollen. Roedd hi'n braf iawn. Gwelon ni gyngerdd yn y pafiliwn yno, dw i'n meddwl.
Daniel: Ond aethoch chi ddim y Nadolig yma?
Gwen: Naddo. Aeth fy mab i i Iwerddon dros y Nadolig gyda'r teulu: aethon nhw i Waterford.
Daniel: Braf iawn!
Gwen: Sut aethoch chi lan i'r Alban 'te? Ar y trên?
Daniel: Nage. Fel arfer dw i'n gyrru, ond aethon ni mewn awyren am y tro cynta.
Gwen: Hedfan o Birmingham?
Daniel: Nage, o Gaerdydd. Roedd e'n glou – dim ond tri chwarter awr!
Gwen: Wel, wel! Da iawn. Reit, dw i'n mynd adre.
Daniel: Hwyl i ti, Gwen.

Sgript
Fersiwn y Gogledd

Mae Daniel a Gwen yn cyfarfod ar y stryd ym mis Ionawr.

Daniel: Blwyddyn newydd dda Gwen!
Gwen: A blwyddyn newydd dda i ti Daniel. Be' wnest ti dros y gwyliau?
Daniel: Mi wnes i fynd i'r Alban i weld y teulu.
Gwen: Roedd hi'n oer iawn, siŵr o fod.
Daniel: Oedd, ond roedd hi'n sych. Mi wnaethon ni fynd i gerdded bob dydd.
Be' amdanat ti a'r gŵr?
Gwen: Mi wnaethon ni fynd i Sbaen. Roedd hi'n braf eistedd yn yr haul bob dydd.
Wnes i ddim byd, dim ond darllen. Dw i isio mynd yn ôl!

Daniel: Dach chi'n mynd i Sbaen bob blwyddyn?
Gwen: Nac ydan. Llynedd mi wnaethon ni fynd i weld y mab a'i deulu o yn Llangollen.
Roedd hi'n braf iawn. Mi wnaethon ni weld cyngerdd yn y pafiliwn yno, dw i'n meddwl.
Daniel: Ond wnaethoch chi ddim mynd y Nadolig yma?
Gwen: Naddo. Mi wnaeth fy hogyn i fynd i Iwerddon dros y Nadolig efo'r teulu:
mi wnaethon nhw fynd i Waterford.
Daniel: Braf iawn!
Gwen: Sut wnaethoch chi fynd i fyny i'r Alban 'ta? Ar y trên?
Daniel: Naci. Fel arfer dw i'n gyrru, ond mi wnaethon ni fynd mewn awyren am y tro cynta.
Gwen: Hedfan o Birmingham?
Daniel: Naci, o Gaerdydd. Roedd o'n gyflym – dim ond tri chwarter awr!
Gwen: Wel, wel! Da iawn. Reit, dw i'n mynd adre.
Daniel: Hwyl i ti, Gwen.

Awgrymiadau i'r Tiwtor

Mae'r darn hwn yn canolbwyntio ar y trydydd person, rhifau a ffurfiau negyddol.

1. Fel paratoad, gall y tiwtor ddarllen paragraff byr yn y person cyntaf, e.e.

Fersiwn y de

Sam dw i. Dw i'n gweithio fel adeiladwr. Dw i'n hoffi chwarae golff. Mae dau o blant gyda fi. Dw i'n hoffi rhedeg hefyd, ond does dim llawer o amser gyda fi. Dw i ddim yn hoffi carafannau.

Fersiwn y gogledd

Sam dw i. Dw i'n gweithio fel adeiladwr. Dw i'n hoffi chwarae golff. Mae gen i ddau o blant. Dw i'n hoffi rhedeg hefyd, ond does gen i ddim llawer o amser. Dw i ddim yn hoffi/licio carafanau.

Ar ôl darllen ddwywaith neu dair, dylai'r tiwtor ysgrifennu 'Dyma Sam' ar y bwrdd gwyn. Yna, rhaid rhannu pawb yn barau i geisio cofio cymaint o ffeithiau â phosibl am Sam. Mewn gwirionedd, maen nhw'n ymarfer trosi o'r person cyntaf i'r trydydd. Ar ôl gorffen, dylid mynd dros yr atebion ar lafar, e.e. Mae e/o'n gweithio fel adeiladwr... Dyw e/Dydy o ddim yn hoffi carafanau... ac yn y blaen. Bydd y dysgwyr wedi rhagbaratoi heb yn wybod iddynt.

2. Gellir gwrando ar y darn ar y cyd, gan roi dwy golofn ar y bwrdd gwyn, fel a ganlyn:

brawd Elin	chwaer Siôn

Wrth wrando ar y darn rhaid i bawb nodi cymaint o ffeithiau ag sy'n bosib dan 'brawd Elin' a 'chwaer Siôn', drwy weithio mewn parau. Does dim angen brawddegau. Yna, rhannu'n barau newydd i drafod y ffeithiau. Gellir mynd ati i wrando ar y ddeialog gan ateb y cwestiynau amlddewis wedyn.

3. Ar ôl cwblhau'r gweithgaredd, gellir holi pawb yn y dosbarth i feddwl faint o bethau mae'n bosib eu chwarae, e.e. pêl-droed, sboncen, cân, gêm ac yn y blaen. Ymarfer geirfa yw hwn, ond gall arwain at drafodaeth agored ar ddiddordebau.

4. Er mwyn sbarduno trafodaeth bellach, gellir gofyn i bob aelod o'r dosbarth ddweud dwy neu dair brawddeg wrth eu partner am berson maen nhw'n ei adnabod yn dda, e.e. aelod o'r teulu neu ffrind. Yna, gall y partner drosglwyddo'r wybodaeth i weddill y dosbarth.

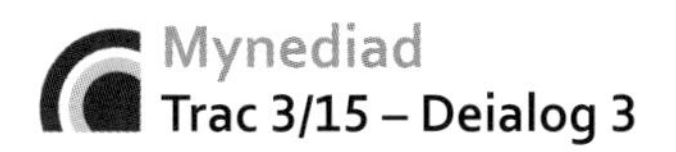
Mynediad
Trac 3/15 – Deialog 3

Cwestiynau

1. Beth yw/Be' ydy gwaith brawd Elin?

a. 
b. 
c. 
ch. 

☐

2. Beth mae brawd Elin yn hoffi'i wneud?

a. 
b. 
c. 
ch. 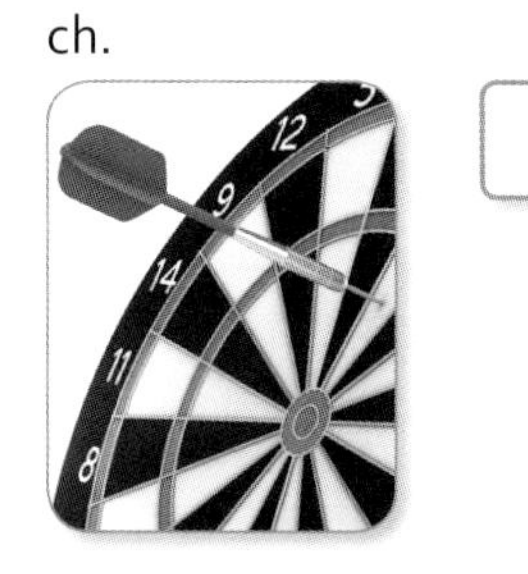

☐

3. Faint o blant sy gyda/gan frawd Elin?

a. 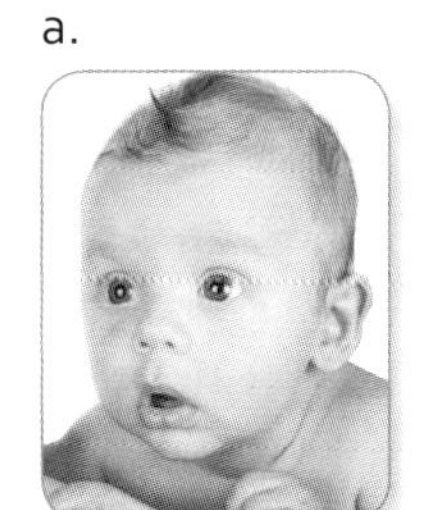
b. 
c. 
ch. 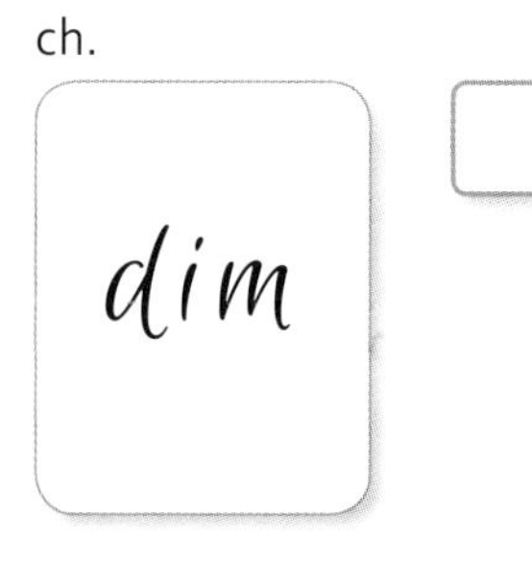

☐

4. Ble/Lle mae brawd Elin yn byw?

a. 
b. 
c. 
ch. 

☐

5. Faint yw oedran chwaer Siôn?
Be' ydy oed chwaer Siôn?

a.
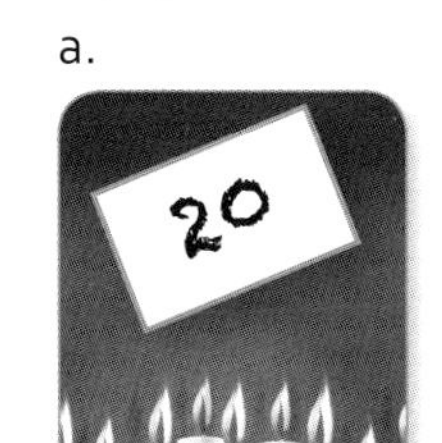

b.

c.

ch.

6. Beth / Be' fydd chwaer Siôn yn ei wneud yfory?

a.

b.

c.

ch.

7. Ble / Lle mae chwaer Siôn yn gwneud hynny?

a.

b.

c.
Caernarfon

ch.
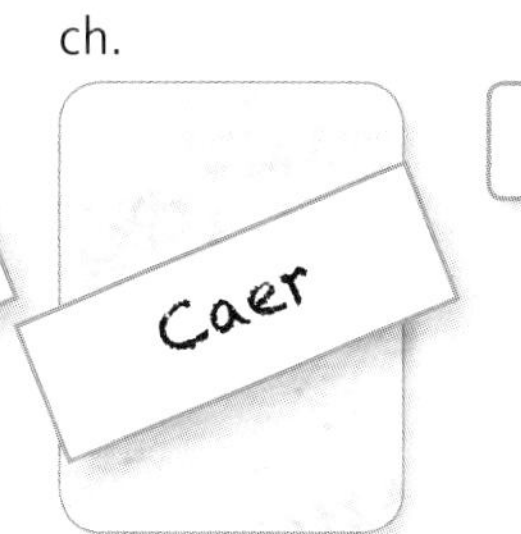

8. Sut bydd chwaer Siôn yn dod/dŵad adre?

a.

b.

c.

ch.

Mynediad
Deialog 3, Trac 3

Sgript

Fersiwn y De

Mae Siôn ac Elin yn cwrdd yn y clwb pêl-droed.

Siôn:	Helo Elin. Sut wyt ti?
Elin:	Iawn diolch, Siôn.
Siôn:	Sut mae dy frawd di? Ydy e'n chwarae pêl-droed nawr?
Elin:	Mae e'n gweithio fel adeiladwr erbyn hyn. Dyw e ddim yn chwarae pêl-droed o gwbl.
Siôn:	Ddim o gwbl? Ond mae e'n hoffi chwarae pêl-droed yn fawr!
Elin:	Dw i'n gwybod, ond mae e'n brysur iawn. Mae babi newydd gyda fe a'i wraig...
Siôn:	Y plentyn cynta?
Elin:	Ie. Dyn nhw ddim yn cysgu o gwbl!
Siôn:	Ha! Ydyn nhw'n byw yn y fflat o hyd?
Elin:	Nac ydyn. Maen nhw wedi symud i dŷ mawr ar bwys y parc carafanau.
Siôn:	Ydyn nhw? Braf iawn.
Elin:	Sut mae dy chwaer di?
Siôn:	Mae hi'n iawn, diolch. Mae ei phen-blwydd hi fory.
Elin:	Faint yw hi nawr... dau ddeg pump?
Siôn:	Nage, dau ddeg wyth. Dyw hi ddim eisiau parti. Mae hi'n mynd i redeg marathon!
Elin:	Bobol bach! Ble? Ydy hi'n gwneud ras Caerdydd?
Siôn:	Nac ydy. Mae'r ras yn dechrau ac yn gorffen yng Nghaernarfon.
Elin:	Ydy hi'n mynd i gael parti ar ôl gorffen?
Siôn:	Nac ydy. Dw i ddim yn meddwl. Mae hi'n dod adre ar y bws ar ôl y ras.
Elin:	Wel, da iawn hi! Cofia fi ati hi.
Siôn:	Diolch Elin. Gwela i di eto.

Sgript

Fersiwn y Gogledd

Mae Siôn ac Elin yn cyfarfod yn y clwb pêl-droed.

Siôn: Helo Elin. Sut wyt ti?
Elin: Iawn diolch, Siôn.
Siôn: Sut mae dy frawd di? Ydy o'n chwarae pêl-droed rŵan?
Elin: Mae o'n gweithio fel adeiladwr erbyn hyn. Dydy o ddim yn chwarae pêl-droed o gwbl.
Siôn: Ddim o gwbl? Ond mae o'n hoffi chwarae pêl-droed yn fawr!
Elin: Dw i'n gwybod, ond mae o'n brysur iawn. Mae gynno fo a'i wraig fabi newydd...
Siôn: Y plentyn cynta?
Elin: Ia. Dydyn nhw ddim yn cysgu o gwbl!
Siôn: Ha! Ydyn nhw'n byw yn y fflat o hyd?
Elin: Nac ydyn. Maen nhw wedi symud i dŷ mawr wrth y parc carafanau.
Siôn: Do? Braf iawn.

Elin: Sut mae dy chwaer di?
Siôn: Mae hi'n iawn, diolch. Mae ei phen-blwydd hi fory.
Elin: Faint ydy hi rŵan... dau ddeg pump?
Siôn: Naci, dau ddeg wyth. Dydy hi ddim isio parti. Mae hi'n mynd i redeg marathon!
Elin: Bobol bach! Lle? Ydy hi'n gwneud ras Caerdydd?
Siôn: Nac ydy. Mae'r ras yn dechrau ac yn gorffen yng Nghaernarfon.
Elin: Ydy hi'n mynd i gael parti ar ôl gorffen?
Siôn: Nac ydy. Dw i ddim yn meddwl. Mae hi'n dŵad adre ar y bws ar ôl y ras.
Elin: Wel, da iawn hi! Cofia fi ati hi.
Siôn: Diolch Elin. Mi wela i di eto.

Awgrymiadau i'r Tiwtor

Mae'r darn hwn yn canolbwyntio ar salwch.

1. Yn lle dechrau â'r darn gwrando, gellir dosbarthu'r cwestiynau (a'r lluniau amlddewis) a dyfalu beth yw'r stori ar sail y cwestiynau a'r lluniau. Er enghraifft, Pam maen nhw yn yr ysbyty? Pwy yw/ydy Ann Jenkins? Mae angen bod y dosbarth yn eithaf hyderus i wneud hyn, a rhaid sicrhau bod unrhyw drafod a dyfalu'n digwydd yn Gymraeg.

2. Mae fersiwn mwy penagored i'r ymarfer hwn. Yma, rhaid i'r dysgwyr wrando ar y darn a rhoi'r enw cywir wrth y broblem a welir yn y llun. Yna, gellir mynd drwy'r lluniau'n gofyn: Beth sy'n bod ar Alun? Beth sy'n bod ar Ann Jenkins? ac yn y blaen.

3. Gwir neu gau. Yn lle defnyddio'r cwestiynau, rhoi cyfres o frawddegau ar y bwrdd gwyn, e.e.

Fersiwn y de	*Fersiwn y gogledd*
Mae coes dost gyda Mrs Tomos.	Mae coes Mrs Tomos yn brifo.
Mae hi'n chwe deg saith oed.	Mae hi'n chwe deg saith oed.
Mae hi'n gweithio mewn llyfrgell.	Mae hi'n gweithio mewn llyfrgell.
Mae cefn tost gyda Gareth Evans.	Mae gan Gareth Evans boen cefn.
Dyw Gareth Evans ddim yn gyrru.	Dydy Gareth Evans ddim yn gyrru.
Cafodd/Gaeth tad-cu Alun ddamwain car.	Mi wnaeth taid Alun gael damwain car.
Mae Alun yn mynd adre.	Mae Alun yn mynd adre.
Does dim problem gyda Alun.	Does gan Alun ddim problem.

   Bydd yr ymarfer hwn yn sicrhau bod y dysgwyr yn gyfarwydd â'r syniad o wrthdynwyr, a'r posibilrwydd fod cwestiynau'n gallu bod yn dwyllodrus! Awgymir rhannu pawb yn barau i wrando ar y ddeialog a rhoi tic wrth y gosodiadau sy'n wir, a chroes wrth y gosodiadau sy'n anghywir.

4. Rhoi brawddegau yn y drefn iawn. Gan ddefnyddio rhestr debyg i'r uchod, (ond bod y cyfan yn ffeithiol gywir), gellir cymysgu'r brawddegau. Rhaid i'r dysgwyr wrando a rhifo'r brawddegau yn y drefn y mae'r ffeithiau'n ymddangos yn y ddeialog. Yn yr arholiad ei hun, mae'r cwestiynau'n dod yn y drefn iawn bob tro.

5. Mae llawer o 'apps' tywydd i'w cael i'r ffôn clyfar. Gellir holi rhywun sydd â ffôn clyfar sut bydd y tywydd dros y diwrnodau nesa, e.e. 'Sut bydd y tywydd dydd Llun? Bydd/Mi fydd hi'n bwrw glaw.' Gall y tiwtor gofnodi'r rhagolygon am bob dydd, ac edrych yn ôl yn y wers nesa i drafod y tywydd a gafwyd mewn gwirionedd, gan ddefnyddio 'Roedd hi'n...'.

Mynediad
Deialog 4, Trac 4/16

Cwestiynau

1. Beth / Be' sy'n bod ar Mrs Tomos?

a. 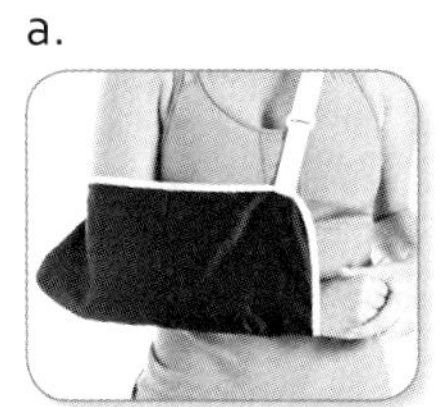
b. 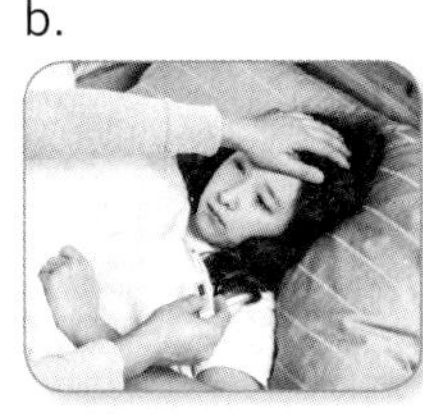
c. 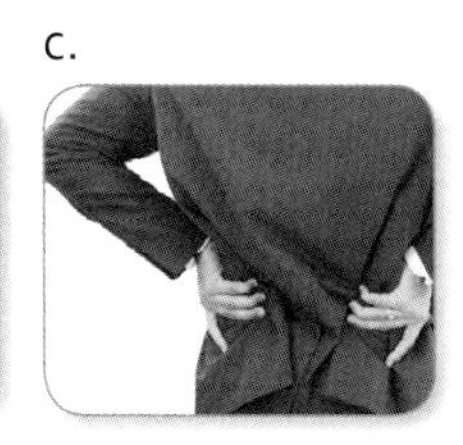
ch. 

2. Faint yw oedran Mrs Tomos?
Be' ydy oed Mrs Tomos?

a. 

b. 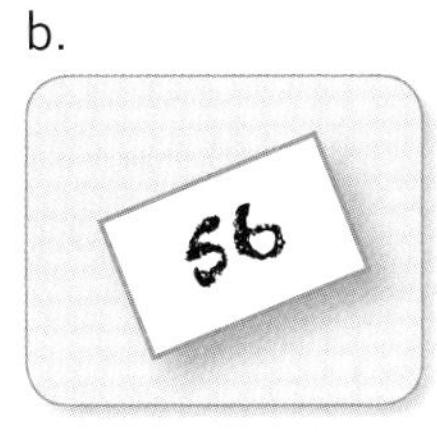

c. 

ch. 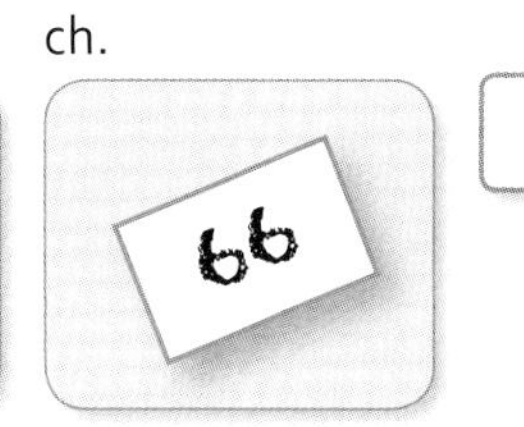

3. Beth / Be' sy'n bod ar Kevin Howells?

a. 
b. 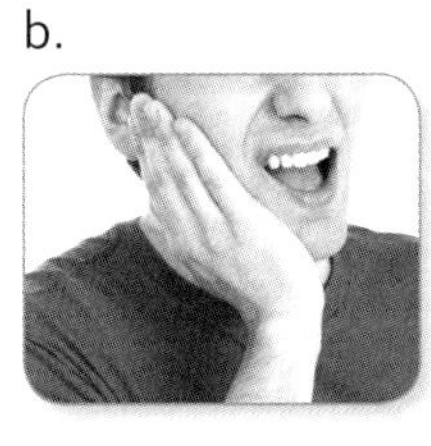
c. 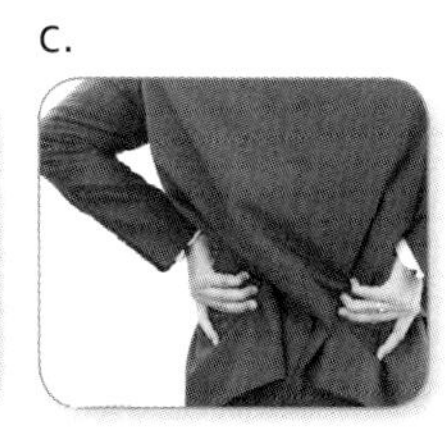
ch. 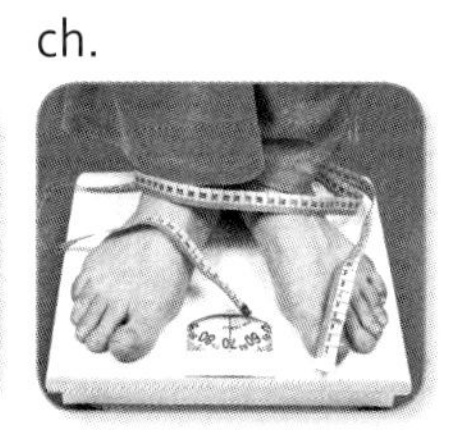

4. Beth dyw Gareth Evans ddim yn gallu'i wneud?
Be' dydy Gareth Evans ddim yn medru'i wneud?

a. 
b. 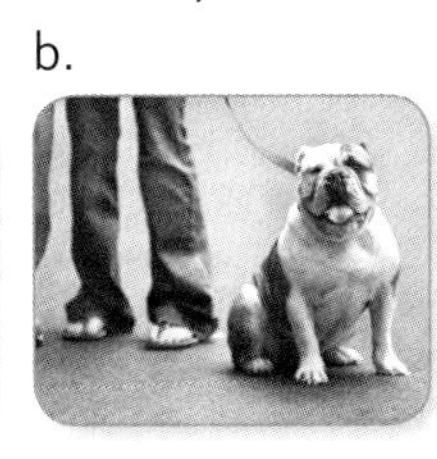
c. 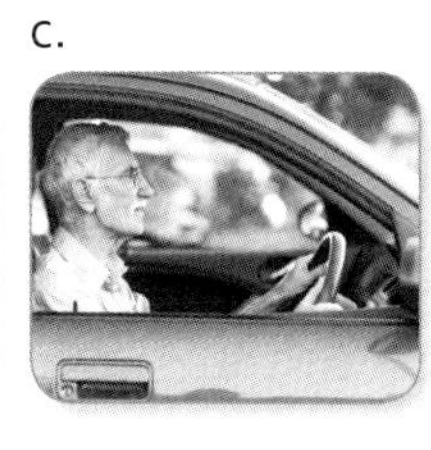
ch. 

5. Pam mae tad-cu/taid Alun yn yr ysbyty?

a. 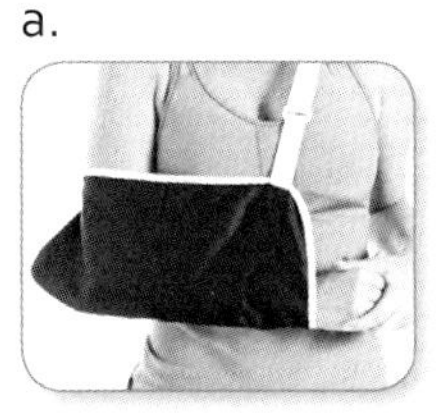
b. 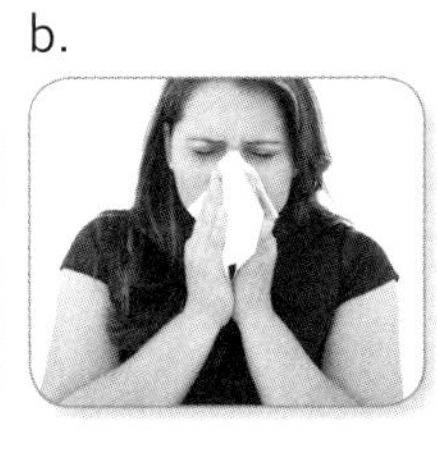
c. 
ch. 
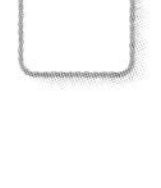

6. Beth / Be' sy'n bod ar Alun?

a. 
b. 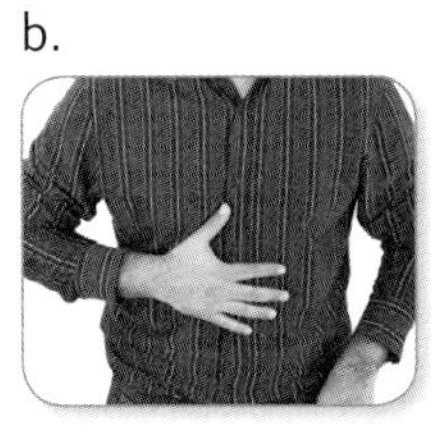
c. 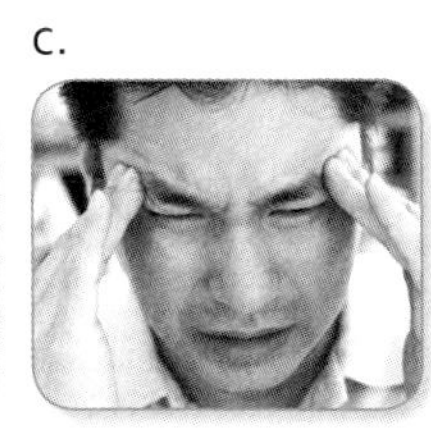
ch. 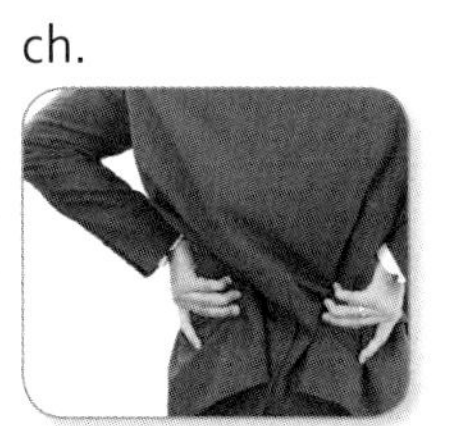

Cwestiynau (penagored)

Beth / Be' sy'n bod ar:

Dewiswch yr enw cywir o'r isod a'i ysgrifennu wrth y llun priodol:
Choose the correct name from the list below and write it next to the appropriate picture:

Mrs Tomos
Ann Jenkins
Kevin Howells
Gareth Evans
Tad-cu / Taid Alun
Alun

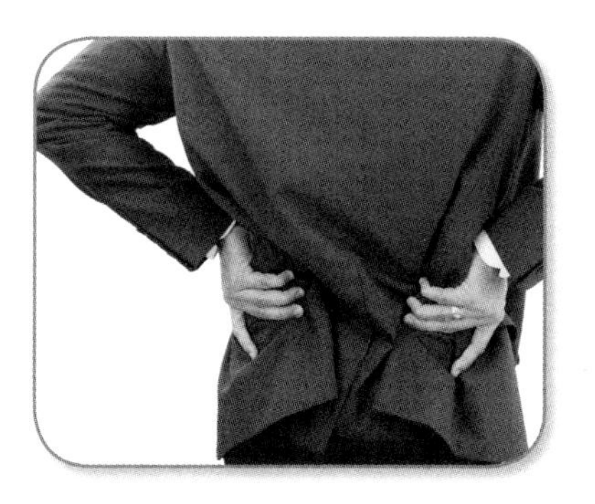

Sgript

Fersiwn y De

Mae Mrs Tomos ac Alun yn cwrdd yn yr ysbyty.

Alun:	Mrs Tomos, sut dych chi?
Mrs Tomos:	Helo Alun. Wel, a dweud y gwir, mae coes dost gyda fi. Dw i'n mynd yn hen!
Alun:	Dim o gwbl. Dych chi'n ifanc iawn!
Mrs Tomos:	Dyw pum deg chwech ddim yn ifanc, Alun bach.
Alun:	Sut mae pawb yn yr ysgol?
Mrs Tomos:	Wel, mae hanner y staff yn dost! Mae ffliw ar Ann Jenkins... mae cefn tost gyda Kevin Howells... a Gareth Evans wedyn, wel mae problemau gyda fe. Dyw e ddim yn gallu gyrru nawr.
Alun:	Bobol bach, mae pawb yn dost!
Mrs Tomos:	Ond beth amdanat ti Alun?
Alun:	Wel, des i yma i weld tad-cu ar ôl ei ddamwain car yr wythnos diwetha. Ond dw i'n meddwl mynd adre nawr...
Mrs Tomos:	Beth sy'n bod?
Alun:	Dw i'n dechrau teimlo'n dost... Mae pen tost gyda fi!

Sgript

Fersiwn y Gogledd

Mae Mrs Tomos ac Alun yn cyfarfod yn yr ysbyty.

Alun:	Mrs Tomos, sut dach chi?
Mrs Tomos:	Helo Alun. Wel, a deud y gwir, mae fy nghoes i'n brifo. Dw i'n mynd yn hen!
Alun:	Dim o gwbl. Dach chi'n ifanc iawn!
Mrs Tomos:	Dydy pum deg chwech ddim yn ifanc, Alun bach.
Alun:	Sut mae pawb yn yr ysgol?
Mrs Tomos:	Wel, mae hanner y staff yn sâl! Mae gan Ann Jenkins y ffliw... mae gan Kevin Howells boen cefn... a Gareth Evans wedyn, wel mae gynno fo broblemau. Dydy o ddim yn medru gyrru rŵan.
Alun:	Bobol bach, mae pawb yn sâl!
Mrs Tomos:	Ond be' amdanat ti Alun?
Alun:	Wel, mi wnes i ddŵad yma i weld taid ar ôl ei ddamwain car wythnos diwetha. Ond dw i'n meddwl mynd adre rŵan...
Mrs Tomos:	Be' sy'n bod?
Alun:	Dw i'n dechrau teimlo'n sâl... Mae gen i gur pen!

Awgrymiadau i Diwtoriaid

Mae'r awgrymiadau hyn yn berthnasol i'r pedwar bwletin. Mae'r bwletinau wedi eu graddio; hynny yw, maen nhw'n dechrau'n hawdd ac yn mynd yn anos. Defnyddir geirfa benodol iawn mewn bwletinau tywydd, e.e. ledled. Hefyd, defnyddir dyfodol 'bod' yn gyson iawn mewn rhagolwg. Mewn gwirionedd, mae hwn yn brawf hawdd iawn. Dim ond mater o gysylltu'r ansoddair iawn â'r adeg iawn, ac nid yw'r ymgeisydd yn colli marciau am gamsillafu. Derbynnir amrywiadau fel 'bwrw glaw' yn lle 'gwlyb' wrth gwrs, a does dim angen nodi 'iawn' os goleddfir yr ansoddair, e.e. oer *iawn*. Cofier hefyd fod prawf yr arholiad ei hun yn cynnwys mwy o wybodaeth ddiangen ac ymadroddion llanw nag a geir yma. Rhaid i'r dysgwr anwybyddu'r rhain a chanolbwyntio ar y mathau o dywydd gwahanol.

1. Gellir defnyddio symbolau tywydd, a rhoi'r cyfan ar y bwrdd o flaen y dysgwyr i gyd. Wrth wrando ar y bwletin, gellir gofyn i bawb ddethol y 4 cerdyn perthnasol a'u rhoi yn y drefn iawn. Neu, gellir gofyn i bawb godi'r symbol priodol a'i ddangos i weddill y dosbarth pan fydd y gair perthnasol yn codi.

2. Dewis arall yw rhoi'r sgript i'r dysgwyr a gofyn iddynt lenwi'r bylchau wrth wrando. Rhaid iddynt drafod beth yw'r geiriau coll gyda'u partneriaid cyn mynd dros yr atebion fel dosbarth. Dyma enghraifft yn defnyddio Bwletin 1, ond gellir defnyddio'r lleill yn yr un modd.

Fersiwn y de

Dyma'r bwletin tywydd. Heno, bydd hi'n _______________ iawn, iawn. Peidiwch mynd ma's heno! Yfory, bydd hi'n _______________. Bydd hi'n _______________ dros Gymru i gyd. Ond dydd _______________, bydd y glaw'n cyrraedd. Bydd y penwythnos yn _______________ iawn a dweud y gwir. Erbyn _______________ nesa, bydd y tywydd yn _______________, gobeithio. A dyna'r bwletin tywydd.

Fersiwn y gogledd

Dyma'r bwletin tywydd. Heno, mi fydd hi'n _______________ iawn iawn. Peidiwch â mynd allan heno! Yfory, mi fydd hi'n _______________. Mi fydd hi'n _______________ dros Gymru i gyd. Ond dydd _______________, mi fydd y glaw'n cyrraedd. Mi fydd y penwythnos yn _______________ iawn a deud y gwir. Erbyn _______________ nesa, mi fydd y tywydd yn _______________, gobeithio. A dyna'r bwletin tywydd.

3. Dyma gyfle da i ganolbwyntio ar ymadroddion amser. Yr allwedd i ddefnyddio'r amser cywir yw deall bod 'yfory' yn cyfeirio at y dyfodol, a 'ddoe' yn cyfeirio at y gorffennol. Mae ymadroddion adferfol yn bwysig i fedru deall y neges gyfan. Awgrymir ysgrifennu'r geiriau/ymadroddion canlynol ar gardiau:

   ddoe
   neithiwr
   echdoe
   y penwythnos diwetha
   yr wythnos diwetha
   Dydd Sul diwetha
   heddiw
   ar hyn o bryd
   nawr/rŵan
   heno
   yfory
   nos yfory
   y penwythnos nesa
   yr wythnos nesa
   Dydd Sul nesa
   erbyn yfory

   Yna, rhaid eu cymysgu a dosbarthu set i bob pâr neu grŵp bach o ddysgwyr. Y nod yw troi'r cardiau fesul un a chynhyrchu brawddeg am y tywydd gan ddechrau ag un o'r rhain:

   Roedd hi'n...
   Mae hi'n...
   Bydd/Mi fydd hi'n...

   Dyma gyfle i bwysleisio'r cysylltiad rhwng ymadroddion tywydd ac adferfau amser fel yr uchod.

4. Gellir dosbarthu lluniau o dywydd gwahanol, yn cynnwys tywydd stormus, braf ac ati, a gofyn i bawb lunio bwletinau tywydd byrion eu hunain yn cynnwys y sbardunau hynny.

Cwestiynau

Fersiwn y De

Heddiw, mae hi'n ______________________________ .

Yfory, bydd hi'n ______________________________ .

Dydd Sadwrn, bydd hi'n ______________________________ .

Wythnos nesa, bydd hi'n ______________________________ .

Fersiwn y Gogledd

Heddiw, mae hi'n ______________________________ .

Yfory, mi fydd hi'n ______________________________ .

Dydd Sadwrn, mi fydd hi'n ______________________________ .

Wythnos nesa, mi fydd hi'n ______________________________ .

Cwestiynau

Fersiwn y De

Y prynhawn 'ma, bydd hi'n ______________________.

Heno, bydd hi'n ______________________.

Bore yfory, bydd hi'n ______________________.

Dydd Sul, bydd hi'n ______________________.

Fersiwn y Gogledd

Y prynhawn 'ma, mi fydd hi'n ______________________.

Heno, mi fydd hi'n ______________________.

Bore yfory, mi fydd hi'n ______________________.

Dydd Sul, mi fydd hi'n ______________________.

Cwestiynau

Fersiwn y De

Ddoe, roedd hi'n ______________________________.

Heno, bydd hi'n ______________________________.

Yfory, bydd hi'n ______________________________.

Dydd Llun, bydd hi'n ______________________________.

Fersiwn y Gogledd

Ddoe, roedd hi'n ______________________________.

Heno, mi fydd hi'n ______________________________.

Yfory, mi fydd hi'n ______________________________.

Dydd Llun, mi fydd hi'n ______________________________.

Cwestiynau

Fersiwn y De

Ddoe, roedd hi'n ______________________________.

Heddiw, bydd hi'n ______________________________.

Bore yfory, bydd hi'n ______________________________.

Dydd Gwener, bydd hi'n ______________________________.

Fersiwn y Gogledd

Ddoe, roedd hi'n ______________________________.

Heddiw, mi fydd hi'n ______________________________.

Bore yfory, mi fydd hi'n ______________________________.

Dydd Gwener, mi fydd hi'n ______________________________.

Sgriptiau Fersiwn y De

Trac 5 – Bwletin Tywydd 1

Dyma'r bwletin tywydd. Wel, mae hi'n oer iawn, iawn heddiw. Peidiwch mynd ma's heddiw! Yfory, bydd hi'n heulog. Bydd hi'n heulog dros Gymru i gyd. Ond... dydd Sadwrn, bydd y glaw'n cyrraedd. Bydd y penwythnos yn wlyb iawn a dweud y gwir. Erbyn wythnos nesa, bydd y tywydd yn braf, gobeithio. A dyna'r bwletin tywydd.

Trac 6 – Bwletin Tywydd 2

Bore da, dyma'r bwletin tywydd. Bydd hi'n braf iawn y prynhawn 'ma, amser da i fynd am dro. Ond bydd hi'n bwrw glaw heno. Bore yfory, bydd hi'n niwlog yn y de a'r gogledd, felly byddwch yn ofalus ar y ffordd i'r gwaith. Erbyn dydd Sul, bydd hi'n wyntog iawn. Pob hwyl i chi. Dyna'r bwletin tywydd.

Trac 7 – Bwletin Tywydd 3

Prynhawn da, dyma'r bwletin tywydd. Wel, roedd hi'n dwym iawn ddoe, ond mae'r tywydd twym wedi mynd. Bydd hi'n bwrw glaw ledled Cymru erbyn heno. Yfory, bydd hi'n oer unwaith eto. Byddwch yn ofalus os dych chi'n gyrru. Erbyn dydd Llun, bydd hi'n gymylog, ond fydd hi ddim yn bwrw glaw. A dyna'r bwletin tywydd.

Trac 8 – Bwletin Tywydd 4

Bore da i chi. Mae tywydd stormus ddoe wedi mynd. Heddiw, bydd hi'n sych ledled Cymru, a fydd dim problemau ar y ffordd. Erbyn y bore, bydd hi'n bwrw glaw, a bydd hi'n wlyb drwy'r dydd. Ond erbyn dydd Gwener... bydd hi'n heulog. Mae'r haf yn dod! A dyna'r bwletin tywydd am heddiw.

Sgriptiau Fersiwn y Gogledd

Trac 17 – Bwletin Tywydd 1

Dyma'r bwletin tywydd. Wel, mae hi'n oer iawn, iawn heddiw. Peidiwch â mynd allan heddiw! Yfory, mi fydd hi'n heulog. Mi fydd hi'n heulog dros Gymru i gyd. Ond... dydd Sadwrn, mi fydd y glaw'n cyrraedd. Mi fydd y penwythnos yn wlyb iawn a deud y gwir. Erbyn wythnos nesa, mi fydd y tywydd yn braf, gobeithio. A dyna'r bwletin tywydd.

Trac 18 – Bwletin Tywydd 2

Bore da, dyma'r bwletin tywydd. Mi fydd hi'n braf iawn y prynhawn 'ma, amser da i fynd am dro. Ond mi fydd hi'n bwrw glaw heno. Bore yfory, mi fydd hi'n niwlog yn y de a'r gogledd, felly byddwch yn ofalus ar y ffordd i'r gwaith. Erbyn dydd Sul, mi fydd hi'n wyntog iawn. Pob hwyl i chi. Dyna'r bwletin tywydd.

Trac 19 – Bwletin Tywydd 3

Prynhawn da, dyma'r bwletin tywydd. Wel, roedd hi'n gynnes iawn ddoe, ond mae'r tywydd cynnes wedi mynd. Mi fydd hi'n bwrw glaw ledled Cymru erbyn heno. Yfory, mi fydd hi'n oer unwaith eto. Byddwch yn ofalus os dach chi'n gyrru. Erbyn dydd Llun, mi fydd hi'n gymylog, ond fydd hi ddim yn bwrw glaw. A dyna'r bwletin tywydd.

Trac 20 – Bwletin Tywydd 4

Bore da i chi. Mae tywydd stormus ddoe wedi mynd. Heddiw, mi fydd hi'n sych ledled Cymru, a fydd dim problemau ar y ffordd. Erbyn y bore, mi fydd hi'n bwrw glaw, ac mi fydd hi'n wlyb drwy'r dydd. Ond erbyn dydd Gwener... mi fydd hi'n heulog. Mae'r haf yn dŵad! A dyna'r bwletin tywydd am heddiw.

Awgrymiadau i Diwtoriaid

Mae gofyn deall y dyfodol eto i ddeall y cyhoeddiadau hyn, gan fod pob brawddeg bron yn dechrau â Bydd/Mi fydd. Yn yr arholiad, rhaid nodi'r amserau a'r prisiau gan ddefnyddio rhifau/ffigurau – nid geiriau. Os yw'r hysbysiad yn nodi 'mynediad am ddim', gellir defnyddio '0' neu ysgrifennu'r gair 'dim' yn ateb. Graddiwyd yr hysbysiadau yn y darnau sy'n dilyn eto, o'r hawdd i'r llai hawdd. Bydd amrywiaeth o amserau yn y prawf ei hun, a gall yr ymgeiswyr ddisgwyl nifer o eiriau ac ymadroddion dieithr. Rhaid canolbwyntio ar ddod o hyd i ddwy ffaith yn unig ymhob eitem, sef amser dechrau a phris y digwyddiad dan sylw. Gall fod yn ddefnyddiol ymarfer rhai ymadroddion neu eiriau sy'n codi'n gyson mewn hysbysiadau fel hyn, e.e. **ar gael, y pen, dim ond, trefnu, sioe.**

- Mae eitemau Darnau 1 a 2 yn canolbwyntio ar amserau ar yr awr, hanner awr wedi a rhifau syml. Gall fod yn ddefnyddiol mynd dros y ffurfiau benywaidd cyn gwneud y dasg hon, e.e. dwy, tair, pedair punt.
- Mae Darn 3 yn cynnwys amserau chwarter wedi a rhifau mwy cymhleth, a gall y pris ddod o flaen yr amser dechrau.
- Mae Darn 4 yn cynnwys mwy o eiriau dieithr y mae'n rhaid i'r ymgeiswyr eu hanwybyddu i gael yr ateb cywir.

1. Gellir addasu llawer o'r syniadau a gyflwynwyd hyd yn hyn drwy ddefnyddio'r hysbysiadau mewn ffyrdd amgen, e.e. llenwi bylchau, dyfalu ymlaen llaw ac ati. Ar ôl llenwi'r grid fel unigolion, trafod mewn parau a mynd dros yr atebion fel grŵp, bydd y ffeithiau wedi cael eu trafod droeon, ac mae modd gwneud ymarferion cofio. Er enghraifft, mewn parau, gall un partner edrych ar y grid (gyda'r amserau dechrau a'r prisiau), gyda'r partner arall yn cuddio'r grid. Rhaid gofyn cwestiynau am y digwyddiadau i weld faint mae partner B yn ei gofio, e.e.

   A. Pryd mae'r cyngerdd yn dechrau?
   B. Mae e/o'n dechrau am hanner awr wedi saith.
   A. Faint yw/ydy cost y trip?
   B. Mae e/o'n costio tri deg punt.

2. Gellir torri'r sgript yn stribedi gyda'r wybodaeth bwysig wedi ei dileu. Y dasg gynta wrth wrando yw rhoi'r digwyddiadau yn y drefn y maen nhw'n ymddangos yn darn. Cofier bod y trefnolion yn rhy anodd ar lefel Mynediad.

3. Wrth gwrs, mae modd defnyddio popeth bron fel sail i dasg lafar ar ôl ei ddefnyddio fel ymarfer neu dasg gwrando. Gellir defnyddio'r wybodaeth yn y grid fel sail i holiadur i weld pa ddigwyddiadau y mae pawb arall yn y dosbarth eisiau mynd iddynt, e.e.

A.	Wyt ti eisiau mynd i'r Sioe Flodau?	Wyt ti isio mynd i'r Sioe Flodau?
B.	Ydw.	Oes.
A.	Wyt ti eisiau mynd i'r gêm?	Wyt ti isio mynd i'r gêm.
B.	Nac ydw.	Nac oes.

Os ydyn nhw'n ateb yn negyddol, gellir gofyn Pam? Ni ellir disgwyl atebion llawer mwy cymhleth na 'Dw i ddim yn hoffi pêl-droed' yn ateb, ond mae'n ymarfer digon hwyliog sy'n gofyn am lawer o ailadrodd.

4. Gyda dosbarth da, mae modd rhannu'r dosbarth yn ddau grŵp. Rhaid i Grŵp 1 fynd allan tra bydd Grŵp 2 yn gwrando ar y cyhoeddiadau ac yn llenwi'r grid. Wedyn, rhaid i Grŵp 1 ddod yn ôl i mewn, a phawb i gael hyd i bartner o'r grŵp arall, gan ofyn ac ateb yn Gymraeg, fel bod Grŵp 1 yn llenwi'r grid hefyd. Mae hwn yn gyfle da i ymarfer 'Pryd mae...' neu 'Faint o'r gloch mae...' a 'Faint yw/ydy...'.

Cwestiynau

Byddwch chi'n clywed hysbysiadau am ddigwyddiadau gwahanol. Ysgrifennwch amserau dechrau a phrisiau'r digwyddiadau yma yn y blwch priodol. Defnyddiwch *rifau*, e.e. £2.50.

You're going to hear announcements about different events. Write the start times and prices of these events in the appropriate box. Use *numbers*, e.g. £2.50.

Beth	**Amser dechrau**	**Pris**
Cyngerdd		
Parti		
Gêm rygbi		
Noson caws a gwin		
Ffilm		

Sgriptiau i Diwtoriaid

Fersiwn y De

1. Bydd cyngerdd yn neuadd y pentre nos Sadwrn nesa. Bydd Côr y Cwm yn canu, a bydd y noson yn dechrau am **saith o'r gloch**. Tocynnau ar gael yn siop y pentre am **ddeg punt** yr un. Croeso i bawb.

2. Bydd parti yn y clwb rygbi nos Wener, yn dechrau am **wyth o'r gloch**. Mae'r clwb yn bum deg oed! Bydd bwyd a miwsig am **bum punt** y pen. Croeso i ffrindiau'r tîm rygbi.

3. Mae tîm rygbi ysgol Llanaber yn chwarae yn erbyn tîm rygbi ysgol Aberwylan dydd Sadwrn, i godi arian at y bws mini newydd. Mae'r gêm yn dechrau am **ddau o'r gloch**. Pris mynediad yw **tair punt**. Dewch i helpu'r ysgol!

4. Bydd noson caws a gwin yn y clwb Cymraeg nos Fercher nesa. Bydd y noson yn dechrau am **hanner awr wedi saith**. Mae croeso i ddysgwyr a ffrindiau ac mae **mynediad am ddim**.

5. Bydd ffilm newydd am hanes Llanaber yn y sinema nos Fawrth nesa, yn dechrau am **hanner awr wedi chwech**. Mae tocynnau'n costio **pedair punt** ac maen nhw ar gael o'r sinema. Dewch yn gynnar!

Sgriptiau i Diwtoriaid

Fersiwn y Gogledd

1. Mi fydd cyngerdd yn neuadd y pentre nos Sadwrn nesa. Mi fydd Côr y Cwm yn canu, ac mi fydd y noson yn dechrau am **saith o'r gloch**. Tocynnau ar gael yn siop y pentre am **ddeg punt** yr un. Croeso i bawb.

2. Mi fydd parti yn y clwb rygbi nos Wener, yn dechrau am **wyth o'r gloch**. Mae'r clwb yn bum deg oed! Mi fydd bwyd a miwsig am **bum punt** y pen. Croeso i ffrindiau'r tîm rygbi.

3. Mae tîm rygbi ysgol Llanaber yn chwarae yn erbyn tîm rygbi ysgol Aberwylan ddydd Sadwrn, i godi pres at y bws mini newydd. Mae'r gêm yn dechrau am **ddau o'r gloch**. Pris mynediad ydy **tair punt**. Dewch i helpu'r ysgol!

4. Mi fydd noson caws a gwin yn y clwb Cymraeg nos Fercher nesa. Mi fydd y noson yn dechrau am **hanner awr wedi saith**. Mae croeso i ddysgwyr a ffrindiau ac mae **mynediad am ddim**.

5. Mi fydd ffilm newydd am hanes Llanaber yn y sinema nos Fawrth nesa, yn dechrau am **hanner awr wedi chwech**. Mae tocynnau'n costio **pedair punt** ac maen nhw ar gael o'r sinema. Dewch yn gynnar!

Cwestiynau

Byddwch chi'n clywed hysbysiadau am ddigwyddiadau gwahanol. Ysgrifennwch amserau dechrau a phrisiau'r digwyddiadau yma yn y blwch priodol. Defnyddiwch *rifau*, e.e. £2.50.

You're going to hear announcements about different events. Write the start times and prices of these events in the appropriate box. Use *numbers*, e.g. £2.50.

Beth	Amser dechrau	Pris
Drama'r ysgol		
Cwis tafarn		
Sioe flodau		
Trip i weld y gêm		
Taith gerdded		

Sgriptiau i Diwtoriaid

Fersiwn y De

1. Bydd drama yn Ysgol Caeraber nos Wener a nos Sadwrn nesa, yn dechrau am **hanner awr wedi saith.** Enw'r ddrama yw 'Cymru am Byth', gan John Jones. Pris y tocynnau yw **pedair punt.**

2. Nos Sadwrn nesa, bydd cwis yn nhafarn y Llew Du, yn dechrau am **hanner awr wedi naw**. Bydd Martin Jones yn gofyn y cwestiynau. Y gost yw **pum punt** y tîm. Croeso i bawb.

3. Bydd Sioe Flodau yn neuadd y capel dydd Sul nesa, yn dechrau am **ddeuddeg o'r gloch**. Dewch i weld y blodau bendigedig! Mae **mynediad am ddim**.

4. Dydd Sadwrn nesa bydd trip bws i weld gêm bêl-droed rhwng Abertawe a West Ham yn gadael yr orsaf am **ddeg o'r gloch** y bore. Ffoniwch y clwb i gael tocyn. Mae'r trip yn costio **tri deg punt.**

5. Mae Cerddwyr Llanaber yn trefnu taith gerdded ddydd Sul nesa. Bydd yn gadael y maes parcio am **un ar ddeg o'r gloch**. Dewch â brechdanau! Y gost yw **dwy bunt** i bawb.

Sgriptiau i Diwtoriaid

Fersiwn y Gogledd

1. Mi fydd drama yn Ysgol Caeraber nos Wener a nos Sadwrn nesa, yn dechrau am **hanner awr wedi saith.** Enw'r ddrama ydy 'Cymru am Byth', gan John Jones. Pris y tocynnau ydy **pedair punt.**

2. Nos Sadwrn nesa, mi fydd cwis yn nhafarn y Llew Du, yn dechrau am **hanner awr wedi naw**. Mi fydd Martin Jones yn gofyn y cwestiynau. Y gost ydy **pum punt** y tîm. Croeso i bawb.

3. Mi fydd Sioe Flodau yn neuadd y capel dydd Sul nesa, yn dechrau am **ddeuddeg o'r gloch**. Dewch i weld y blodau bendigedig! Mae **mynediad am ddim**.

4. Dydd Sadwrn nesa mi fydd trip bws i weld gêm bêl-droed rhwng Abertawe a West Ham yn gadael yr orsaf am **ddeg o'r gloch** y bore. Ffoniwch y clwb i gael tocyn. Mae'r trip yn costio **tri deg punt.**

5. Mae Cerddwyr Llanaber yn trefnu taith gerdded ddydd Sul nesa. Mi fydd yn gadael y maes parcio am **un ar ddeg o'r gloch**. Dewch â brechdanau! Y gost ydy **dwy bunt** i bawb.

Mynediad

Amserau a Phrisiau 3, Trac 11/23

Cwestiynau

Byddwch chi'n clywed hysbysiadau am ddigwyddiadau gwahanol. Ysgrifennwch amserau dechrau a phrisiau'r digwyddiadau yma yn y blwch priodol. Defnyddiwch *rifau*, e.e. £2.50.

You're going to hear announcements about different events. Write the start times and prices of these events in the appropriate box. Use *numbers*, e.g. £2.50.

Beth	Amser dechrau	Pris
Bingo		
Ffair Haf		
Noson Carioci		
Sioe		
Trip i Lundain		

Sgriptiau i Diwtoriaid

Fersiwn y De

1. Mae Bingo yn neuadd y pentre nos Wener yma. Bydd y noson yn dechrau am **chwarter wedi chwech**. Mae **mynediad am ddim** ac mae croeso i bawb.

2. Yn Ysgol Llanaber nos Iau mae Ffair Haf. Dim ond **tair punt pum deg** yw pris mynediad, ac mae'r Ffair yn dechrau am **hanner awr wedi saith**. Croeso i bawb – plant, rhieni a ffrindiau.

3. Dewch i ganu! Mae noson carioci yn nhafarn y Llew Du nos Wener nesa. Bydd y noson yn dechrau am **chwarter wedi wyth**. Rhaid talu **pum punt** i ganu, ac mae'r arian yn mynd at yr ysgol.

4. Bydd sioe plant y pentre yn neuadd Aberwylan ddydd Sul, yn dechrau am **hanner awr wedi deuddeg**. Dim ond **tair punt** yw'r pris mynediad. Bydd y sioe'n gorffen am bedwar o'r gloch.

5. Mae clwb Siôn a Siân yn trefnu trip i Lundain wythnos i ddydd Sadwrn nesa. Y gost yw **pum deg saith punt**, yn cynnwys cost y gwesty. Bargen! Mae'r bws yn gadael am **chwarter wedi naw** y bore.

Sgriptiau i Diwtoriaid

Fersiwn y Gogledd

1. Mae Bingo yn neuadd y pentre nos Wener yma. Mi fydd y noson yn dechrau am **chwarter wedi chwech**. Mae **mynediad am ddim** ac mae croeso i bawb.

2. Yn Ysgol Llanaber nos Iau mae Ffair Haf. Dim ond **tair punt pum deg** ydy pris mynediad, ac mae'r Ffair yn dechrau am **hanner awr wedi saith**. Croeso i bawb – plant, rhieni a ffrindiau.

3. Dewch i ganu! Mae noson carioci yn nhafarn y Llew Du nos Wener nesa. Mi fydd y noson yn dechrau am **chwarter wedi wyth**. Rhaid talu **pum punt** i ganu, ac mae'r pres yn mynd at yr ysgol.

4. Mi fydd sioe plant y pentre yn neuadd Aberwylan ddydd Sul, yn dechrau am **hanner awr wedi deuddeg**. Dim ond **tair punt** ydy'r pris mynediad. Mi fydd y sioe'n gorffen am bedwar o'r gloch.

5. Mae clwb Siôn a Siân yn trefnu trip i Lundain wythnos i ddydd Sadwrn nesa. Y gost ydy **pum deg saith punt**, yn cynnwys cost y gwesty. Bargen! Mae'r bws yn gadael am **chwarter wedi naw** y bore.

Cwestiynau

Byddwch chi'n clywed hysbysiadau am ddigwyddiadau gwahanol. Ysgrifennwch amserau dechrau a phrisiau'r digwyddiadau yma yn y blwch priodol. Defnyddiwch *rifau*, e.e. £2.50.

You're going to hear announcements about different events. Write the start times and prices of these events in the appropriate box. Use *numbers*, e.g. £2.50.

Beth	Amser dechrau	Pris
Cyngerdd yr ysgol		
Gêm bêl-droed		
Bore coffi		
Agor y ganolfan hamdden		
Cyngerdd Llangollen		

Sgriptiau i Diwtoriaid

Fersiwn y De

1. Croeso i bawb i gyngerdd Ysgol y Bryn nos Iau wythnos nesa i ddechrau am **chwarter wedi saith**. Bydd côr yr ysgol yn canu. Mae tocynnau'n **bedair punt** ar y drws neu o swyddfa'r ysgol. Ffoniwch rhwng naw a deg o'r gloch i gael tocynnau.

2. Am ddim ond **dwy bunt pum deg**, dych chi'n gallu dod i weld gêm bêl-droed rhwng Llanaber a Chaerddinas. Mae hon yn gêm fawr! Bydd hi'n dechrau am **hanner awr wedi dau** ar gae chwarae'r ysgol. Prynhawn dydd Sadwrn nesa, yn yr ysgol fawr... peidiwch anghofio!

3. Bydd bore coffi yn neuadd y pentre dydd Mawrth nesa'n dechrau am **un ar ddeg** o'r gloch. Paned o de, bisgedi a sgwrs am **bunt**! Bydd WI Llanaber yn helpu gyda'r te a'r coffi a diolch yn fawr i Mrs Enid Jones am drefnu. Gwelwn ni chi yno!

4. Mae'r ganolfan hamdden yn agor yng Nghaerddinas nos Iau nesa. Dewch i weld y pwll nofio a'r caffi newydd o **hanner awr wedi chwech** ymlaen. Mae **mynediad am ddim**. Croeso i bawb.

5. Dych chi eisiau dod i weld cyngerdd yn neuadd Llangollen nos Sul nesa? Wel, dych chi'n gallu dod gyda chwmni Bysus Gwen am **ddau ddeg pum punt** (yn cynnwys pris y tocyn). Bydd y bws yn gadael y maes parcio mawr am **chwarter wedi tri**.

Sgriptiau i Diwtoriaid

Fersiwn y Gogledd

1. Croeso i bawb i gyngerdd Ysgol y Bryn nos Iau wythnos nesa i ddechrau am **chwarter wedi saith**. Mi fydd côr yr ysgol yn canu. Mae tocynnau'n **bedair punt** ar y drws neu o swyddfa'r ysgol. Ffoniwch rhwng naw a deg o'r gloch i gael tocynnau.

2. Am ddim ond **dwy bunt pum deg**, dach chi'n medru dŵad i weld gêm bêl-droed rhwng Llanaber a Chaerddinas. Mae hon yn gêm fawr! Mi fydd hi'n dechrau am **hanner awr wedi dau** ar gae chwarae'r ysgol. Prynhawn dydd Sadwrn nesa, yn yr ysgol fawr... peidiwch ag anghofio!

3. Mi fydd bore coffi yn neuadd y pentre dydd Mawrth nesa'n dechrau am **un ar ddeg** o'r gloch. Paned o de, bisgedi a sgwrs am **bunt**! Mi fydd WI Llanaber yn helpu efo'r te a'r coffi a diolch yn fawr i Mrs Enid Jones am drefnu. Mi welwn ni chi yno!

4. Mae'r ganolfan hamdden yn agor yng Nghaerddinas nos Iau nesa. Dewch i weld y pwll nofio a'r caffi newydd o **hanner awr wedi chwech** ymlaen. Mae **mynediad am ddim**. Croeso i bawb.

5. Dach chi isio dŵad i weld cyngerdd yn neuadd Llangollen nos Sul nesa? Wel, dach chi'n medru dŵad efo cwmni Bysus Gwen am **ddau ddeg pum punt** (yn cynnwys pris y tocyn). Mi fydd y bws yn gadael y maes parcio mawr am **chwarter wedi tri**.

Atebion

Deialog 1

Gareth =	2 fab ac 1 ferch / 2 hogyn ac 1 hogan
John =	2 ferch / 2 hogan
Ann =	4 cath
Mair =	2 fab / 2 hogyn
Melisa =	1 mab / 1 hogyn

Deialog 2

1. a
2. ch
3. b
4. c
5. b
6. a
7. b
8. b

Deialog 3

1. b
2. b
3. a
4. b
5. c
6. a
7. c
8. b

Deialog 4

1. ch
2. b
3. c
4. c
5. ch
6. c

Mrs Tomos =	coes dost / poen yn ei choes
Ann Jenkins =	ffliw
Kevin Howells =	cefn tost / poen cefn
Gareth Evans =	ddim yn gallu/medru gyrru
Tad-cu/Taid Alun =	damwain car
Alun =	pen tost

Bwletin Tywydd 1

Heddiw, mae hi'n	**oer**
Yfory, bydd hi'n	**heulog**
Dydd Sadwrn, bydd hi'n	**bwrw glaw/wlyb**
Wythnos nesa, bydd hi'n	**braf**

Bwletin Tywydd 2

Y prynhawn 'ma, bydd hi'n	**braf**
Heno, bydd hi'n	**bwrw glaw/wlyb**
Bore yfory, bydd hi'n	**niwlog**
Dydd Sul, bydd hi'n	**wyntog**

Bwletin Tywydd 3

Ddoe, roedd hi'n	**dwym/gynnes**
Heno, bydd hi'n	**bwrw glaw/wlyb**
Yfory, bydd hi'n	**oer**
Dydd Llun, bydd hi'n	**gymylog**

Bwletin Tywydd 4

Ddoe, roedd hi'n	**stormus**
Heddiw, bydd hi'n	**sych**
Bore yfory, bydd hi'n	**bwrw glaw/wlyb**
Dydd Gwener, bydd hi'n	**heulog**

Amserau a phrisiau 1

	Amser dechrau	Pris
Cyngerdd	7.00	£10
Parti	8.00	£5
Gêm rygbi	2.00	£3
Noson caws a gwin	7.30	0/-/dim
Ffilm	6.30	£4

Amserau a phrisiau 2

	Amser dechrau	Pris
Drama'r ysgol	7.30	£4
Cwis tafarn	9.30	£5
Sioe flodau	12.00	0/-/dim
Trip i weld y gêm	10.00	£30
Taith gerdded	11.00	£2

Amserau a phrisiau 3

	Amser dechrau	Pris
Bingo	6.15	0/-/dim
Ffair Haf	7.30	£3.50
Noson carioci	8.15	£5
Sioe	12.30	£3
Trip i Lundain	9.15	£57

Amserau a phrisiau 4

	Amser dechrau	Pris
Cyngerdd yr ysgol	7.15	£4
Gêm bêl-droed	2.30	£2.50
Bore coffi	11.00	£1
Agor y ganolfan hamdden	6.30	0/-/dim
Cyngerdd Llangollen	3.15	£25

Awgrymiadau i diwtoriaid

Mae tair rhan i'r prawf gwrando: negeseuon ffôn, 'eitem' gyda chwestiynau amlddewis a llenwi ffurflen yn seiliedig ar ddeialog.

Negeseuon ffôn

Mae'r rhan gyntaf yn gofyn i'r dysgwyr neu'r ymgeiswyr adnabod pwyntiau pwysig neu arwyddocaol mewn neges ffôn. Rhaid cofnodi oddi wrth bwy y daw'r neges, ac i bwy mae'r neges wedi'i bwriadu. Bydd tair ffaith bwysig wedyn i'w cofnodi ar y nodyn i ddangos dealltwriaeth. Mae'r negeseuon yn y pecyn hwn wedi eu graddio fel nad oes rhaid eu defnyddio ar ddiwedd cwrs ar ôl cyflwyno'r patrymau a'r eirfa i gyd. Dyma sut y graddiwyd y rhain:

Negeseuon ffôn 1

Mae'r rhain yn syml iawn, ac yn canolbwyntio ar ofyn i dderbynnydd y neges brynu pethau gwahanol, felly dim ond gwrthrychau sydd i'w rhestru yn y nodiadau.

Negeseuon ffôn 2

Mae'r negeseuon hyn yn fwy cymhleth ac yn canolbwyntio ar batrymau 'Wnei di...' ac 'Mae angen i...'. Mae gofyn i dderbynnydd y neges wneud rhywbeth. Fel gweithgaredd ymestynnol yma, gellir rhoi sefyllfa i bob pâr a gofyn iddynt lunio neges ar sail y sefyllfa honno, e.e. ar ôl trefnu cyngerdd, mae'r prif berfformiwr wedi canslo – gofyn i rywun arall berfformio yn ei le/ei lle; mynd i'r maes awyr, ond problem â'r car – gofyn i rywun am lifft.

Negeseuon ffôn 3

Mae'r rhain yn canolbwyntio ar rai trefnolion syml, sy'n ddefnyddiol wrth sôn am y dyddiad, e.e. yr ail, y pumed, y degfed.

Negeseuon ffôn 4

Ceir cymysgedd o amserau yma a llawer o wybodaeth ddiangen. Rhaid i'r dysgwyr ddidoli'r pwyntiau pwysig.

1. Yr awgrym cyntaf yw gwneud un ar y tro! Mae hynny'n dipyn llai brawychus na gwneud tair neges gyda'i gilydd. Gyda dosbarth ansicr, gellir chwarae'r neges ddwy neu dair gwaith a gofyn i bawb restru'r geiriau neu'r ymadroddion pwysig neu arwyddocaol.
2. Gellir rhoi neges wedi ei llenwi'n barod i'r dysgwyr a gofyn iddyn nhw lunio neges i'w gadael ar beiriant ffôn yn seiliedig ar y testun hwnnw. Byddai'n syniad gwneud un ar y cyd fel dosbarth yn y lle cyntaf, cyn rhannu pawb yn barau i weithio ar neges arall. Bydd rhaid dechrau'r neges wrth reswm drwy ddweud pwy sy'n galw, ac i bwy mae'r neges. Gall fod yn neges syml iawn, e.e. 'Helo Gwen, dy chwaer sy 'ma. Wnei di brynu llaeth, bara a phapur i fi? Diolch'. Ond mae'n bosib ehangu ar y neges 'sgerbwd' drwy feddwl yn greadigol.

Oddi wrth: **ei chwaer hi** i: **Gwen**

Rhaid iddi hi brynu...

1. llaeth/llefrith
2. bara
3. papur

3. Gellir copïo'r testun a'i ddefnyddio fel ymarfer llenwi bylchau. Er enghraifft yn y bylchau isod, does dim dal beth sy'n mynd yn y bwlch. Gellir gweld wedyn pwy sydd wedi dyfalu'n agos i'w le drwy wrando ar y testun go iawn.

Fersiwn y De

Helo John, gobeithio taw dy ffôn di yw hwn! Steve sy 'ma. Dw i'n gwybod dy fod ti'n mynd i ___________ wythnos nesa. Wyt ti'n gallu prynu cwpwl o bethau i fi? ___________ coch yn un peth, a ___________. Rwyt ti'n gwybod pa fath dw i'n hoffi. Mae pen-blwydd y ___________ wythnos nesa... wyt ti'n gallu cael potel o ___________ ar y ffordd adre? Mae hi'n cael yr un anrheg bob blwyddyn! Diolch iti.

Fersiwn y Gogledd

Helo John, gobeithio mai dy ffôn di ydy hwn! Steve sy 'ma. Dw i'n gwybod dy fod ti'n mynd i ___________ wythnos nesa. Wyt ti'n medru prynu cwpwl o bethau i mi? ___________ coch yn un peth, a ___________. Rwyt ti'n gwybod pa fath dw i'n hoffi. Mae pen-blwydd y ___________ wythnos nesa... wyt ti'n medru cael potel o ___________ ar y ffordd adre? Mae hi'n cael yr un anrheg bob blwyddyn! Diolch iti.

4. Arddywediad perffaith. Mae hwn yn gallu swnio'n llafurus, ond mae'n esgus i glywed yr un neges drosodd a throsodd. Byddai'n well gwneud gydag un o'r negeseuon byrraf, e.e. 3.ii. Mewn gwirionedd, dyw hyn ddim yn canolbwyntio ar y ffeithiau arwyddocaol o gwbl, ond mae'n ffordd amrywiol a difyr o ddefnyddio'r testun. Yn syml iawn, rhaid i'r dysgwyr wrando ar y darn gymaint o weithiau ag sydd angen er mwyn copïo'r testun yn gywir. Mae'n bosib bydd angen chwarae'r darn fwy na phump o weithiau. Wedyn, gellir dosbarthu'r testun cywir, a gofyn iddyn nhw farcio mewn parau - partner A yn marcio testun partner B. Dylid defnyddio testun byr yn unig i wneud hyn.

5. Dyfalu pellach. Mae nifer o'r darnau'n awgrymu stori y tu ôl i'r neges. Er enghraifft, mae neges 3.iii yn awgrymu bod problem fawr wedi bod yn y fflat, a Tomos Price yw'r landlord. Ar ôl defnyddio'r darn, gellir gofyn i bawb ddyfalu beth oedd y broblem... ydyn nhw wedi cael profiad tebyg. Mae neges 4.iii yn awgrymu bod Trystan yn dipyn o gymeriad. Ar ôl defnyddio'r darn, gellir gofyn i bawb ddyfalu pa fath o berson yw e, neu'r math o bethau a allai fod wedi digwydd ar drip pêl-droed yn y gorffennol. Mae angen tipyn o ddychymyg i wneud tasg fel hon, a gall y tiwtor benderfynu a fyddai'n gweithio gyda'r bobl yn y dosbarth.

6. Nodiadau ffug. Gellir gwneud hwn ar y cyd. Rhaid paratoi llawer o nodiadau neges ffug, e.e. ar gyfer 4.ii, gellir paratoi cardiau fel y rhain:

Oddi wrth: **rywun o'r Eisteddfod** i: **Alun Roberts**

Ar ôl y seremoni, maen nhw eisiau/isio iddo...

1. gael paned
2. gael tynnu ei lun

Oddi wrth: **rywun o'r Eisteddfod** i: **Alun Roberts**

Ar ôl y seremoni, maen nhw eisiau/isio iddo...

1. gael paned
2. siarad â'r papur lleol

Oddi wrth: **rywun o'r Eisteddfod** i: **Alun Roberts**

Ar ôl y seremoni, maen nhw eisiau/isio iddo...

1. wneud y te
2. gael tynnu ei lun

Dim ond un o'r negeseuon sy'n berffaith gywir, a'r nod yw penderfynu pa un. Mae'n ffordd o ddod i arfer â gwrthdynwyr. Mae'n bosib gwneud y gweithgaredd hwn gyda phob un o'r negeseuon bron, ond mae angen tipyn o waith paratoi.

7. Gall y tiwtor osod sgript neges (sawl copi mawr o'r un neges) mewn print bras iawn ar un pen i'r dosbarth. Rhaid i un partner fynd draw i ddarllen y neges, a rhedeg yn ôl at y partner arall i drosglwyddo'r wybodaeth a llenwi'r ffurflen.

8. Gweithgaredd ymestynnol arall: gofyn i bawb mewn parau lunio negeseuon ffôn ffug, e.e. Charles i Camilla, Tom Jones i Kylie Minogue, Victoria i David Beckham.

Cwestiynau

Llenwch y nodiadau yma ar sail y wybodaeth yn y negeseuon ffôn.
Fill in these notes on the basis of the information in the telephone messages.

1.i Oddi wrth: ________________ i: ________________

Rhaid iddi hi brynu...

i. ________________________________

ii. ________________________________

1.ii Oddi wrth: ________________ i: ________________

Rhaid iddo fe/fo brynu...

i. ________________________________

ii. ________________________________

1.iii Oddi wrth: ________________ i: ________________

Rhaid iddo fe/fo brynu...

i. ________________________________

ii. ________________________________

Sgript

Fersiwn y De

1.i
Gwen? Gwen? Dy chwaer di sy'n siarad. Dw i eisiau i ti brynu cwpwl o bethau i fi ar y ffordd adre heno. Does dim llaeth yn y tŷ. Mae digon o goffi gyda ni, dw i'n meddwl.... O, mae angen bara hefyd. Wyt ti'n gallu galw yn siop Jenkins ar y ffordd? Anghofiais i brynu papur yno y bore 'ma. Gwela i di heno!

1.ii
Helo John, gobeithio taw dy ffôn di yw hwn! Steve sy 'ma. Dw i'n gwybod dy fod ti'n mynd i Ffrainc wythnos nesa. Wyt ti'n gallu prynu cwpwl o bethau i fi? Gwin coch yn un peth, a sigaréts. Rwyt ti'n gwybod pa fath dw i'n ei hoffi. Mae pen-blwydd y wraig wythnos nesa... wyt ti'n gallu cael potel o Chanel rhif 5 ar y ffordd adre? Mae hi'n cael yr un anrheg bob blwyddyn! Diolch i ti John. Cei di'r arian ar ôl dod adre.

1.iii
Shwmai Dan. Mam sy'n siarad. Os wyt ti'n mynd i'r dre, wyt ti'n gallu mynd i'r siop Gymraeg? Dw i eisiau copi o'r Cymro. Os wyt ti'n gweld copi o'r llyfr newydd am hanes Aber-mawr, pryna fe! Hefyd... mae pen-blwydd dy dad ddydd Sadwrn. Wyt ti'n gallu prynu cerdyn? Rhywbeth Cymraeg, does dim ots beth. Diolch cariad.

Sgript

Fersiwn y Gogledd

1.i
Gwen? Gwen? Dy chwaer di sy'n siarad. Dw i isio i ti brynu cwpwl o bethau i mi ar y ffordd adre heno. Does 'na ddim llefrith yn y tŷ. Mae gynnon ni ddigon o goffi, dw i'n meddwl.... O, mae angen bara hefyd. Wyt ti'n medru galw yn siop Jenkins ar y ffordd? Mi wnes i anghofio prynu papur yno y bore 'ma. Mi wela i di heno!

1.ii
Helo John, gobeithio mai dy ffôn di ydy hwn! Steve sy 'ma. Dw i'n gwybod fod ti'n mynd i Ffrainc wythnos nesa. Wyt ti'n medru prynu cwpwl o bethau i mi? Gwin coch yn un peth, a sigaréts. Rwyt ti'n gwybod pa fath dw i'n ei hoffi. Mae pen-blwydd y wraig wythnos nesa... wyt ti'n medru cael potel o Chanel rhif 5 ar y ffordd adre? Mae hi'n cael yr un anrheg bob blwyddyn! Diolch i ti John. Mi gei di'r pres ar ôl dŵad adre.

1.iii
Su'mai Dan. Mam sy'n siarad. Os wyt ti'n mynd i'r dre, wyt ti'n medru mynd i'r siop Gymraeg? Dw i isio copi o'r Cymro. Os wyt ti'n gweld copi o'r llyfr newydd am hanes Aber-mawr, pryna fo! Hefyd... mae pen-blwydd dy dad ddydd Sadwrn. Wyt ti'n medru prynu cerdyn? Rhywbeth Cymraeg, does dim ots be'. Diolch cariad.

Cwestiynau

Llenwch y nodiadau yma ar sail y wybodaeth yn y negeseuon ffôn.
Fill in these notes on the basis of the information in the telephone messages.

2.i Oddi wrth: ______________________ i: ______________________

Mae angen iddi hi...

i. ____

ii. ____

2.ii Oddi wrth: ______________________ i: ______________________

Mae angen iddo fe/fo...

i. ____

ii. ____

2.iii Oddi wrth: ______________________ i: ______________________

Mae angen iddo fe/fo...

i. ____

ii. ____

Sgript

Fersiwn y De

2.i
Helo, helo, ydy Llinos yna? John Edwards sy'n siarad. Mae cyngerdd Nadolig y plant yn y neuadd nos Iau. Wnei di yrru'r bws mini i'r cyngerdd? Mae Gwilym yn hapus i yrru adre. Bydd y bws yn barod i adael yr ysgol am chwech, ond wnei di gofio stopio yn Stryd y Bont? Bydd tri o'r plant yn dal y bws yno. O, un peth arall: wnei di ddod â'r piano bach o'r ysgol? Mae'r piano yn y neuadd yn ofnadwy. Diolch yn fawr i ti!

2.ii
Bore da, Sam. Sandra sy 'ma. Gwranda, mae problem 'da fi. Mae cwis yn y Llew Du heno, a dw i ddim yn gallu mynd... felly, wnei di ofyn y cwestiynau yn fy lle i? Os ydy hynny'n iawn, wnei di fynd â'r meicroffon gyda ti? Wnei di ffonio Jonathan y tafarnwr cyn heno i ddweud beth sy'n digwydd? Mae'n ddrwg 'da fi, ond mae pen tost ofnadwy gyda fi. Rwyt ti'n ffrind da, Sam – diolch!

2.iii
Bore da, neges i Steffan. Gareth, rheolwr y tîm rygbi sy 'ma. Wyt ti'n gallu chwarae i'r tîm cynta ddydd Sadwrn? Mae dy annwyd di wedi gwella, gobeithio. Wnei di ffonio John Macintosh os gweli di'n dda? Mae e'n chwaraewr da, a dyw ei rif ffôn e ddim gyda fi. Diolch. Os wyt ti'n mynd i chwarae, wnei di roi lifft i Tom? Mae e'n byw yn yr un stryd â ti. Pob hwyl.

Sgript

Fersiwn y Gogledd

2.i

Helo, helo, ydy Llinos yna? John Edwards sy'n siarad. Mae cyngerdd Nadolig y plant yn y neuadd nos Iau. Wnei di yrru'r bws mini i'r cyngerdd? Mae Gwilym yn hapus i yrru adre. Mi fydd y bws yn barod i adael yr ysgol am chwech, ond wnei di gofio stopio yn Stryd y Bont? Mi fydd tri o'r plant yn dal y bws yno. O, un peth arall: wnei di ddŵad â'r piano bach o'r ysgol? Mae'r piano yn y neuadd yn ofnadwy. Diolch yn fawr i ti!

2.ii

Bore da, Sam. Sandra sy 'ma. Gwranda, mae gen i broblem. Mae cwis yn y Llew Du heno, a dw i ddim yn medru mynd... felly, wnei di ofyn y cwestiynau yn fy lle i? Os ydy hynny'n iawn, wnei di fynd â'r meicroffon efo ti? Wnei di ffonio Jonathan y tafarnwr cyn heno i ddeud be' sy'n digwydd? Mae'n ddrwg gen i, ond mae gen i gur pen ofnadwy. Rwyt ti'n ffrind da, Sam – diolch!

2.iii

Bore da, neges i Steffan. Gareth, rheolwr y tîm rygbi sy 'ma. Wyt ti'n medru chwarae i'r tîm cynta ddydd Sadwrn? Mae dy annwyd di wedi gwella, gobeithio. Wnei di ffonio John Macintosh os gweli di'n dda? Mae o'n chwaraewr da, a dydy ei rif ffôn o ddim gen i. Diolch. Os wyt ti'n mynd i chwarae, wnei di roi lifft i Tom? Mae o'n byw yn yr un stryd â ti. Pob hwyl.

Cwestiynau

Llenwch y nodiadau yma ar sail y wybodaeth yn y negeseuon ffôn.
Fill in these notes on the basis of the information in the telephone messages.

3.i Oddi wrth: ______________ i: ______________

Mae angen iddo edrych ar ôl y plant...

Dyddiad: ______________

Amser: ______________

Tâl: ______________

3.ii Oddi wrth: ______________ i: ______________

Rhaid iddo fynd i'r parti...

Dyddiad: ______________

Ble / Lle: ______________

a dod / dŵad â... ______________

3.iii Oddi wrth: ______________ i: ______________

Mae angen iddi fynd i'r fflat...

Dyddiad: ______________

Amser: ______________

achos: ______________

Sylfaen
Negeseuon ffôn 3, Trac 27

Sgript

Fersiwn y De

3.i
John? John? Dy chwaer di sy 'ma. Wyt ti'n gallu dod i edrych ar ôl y plant wythnos nesa? Nos Fercher y degfed, dw i'n meddwl. Dw i'n mynd i gyngerdd yn y neuadd. Dere draw erbyn chwarter i saith. Ffonia 'nôl pan gei di gyfle. Dw i ddim eisiau gofyn i Shirley drws nesa eto, mae hi'n costio gormod. Os gwnei di hyn, cei di botel o win!

3.ii
Helo Chris, dy dad di sy'n siarad. Wyt ti'n cofio am barti pen-blwydd Mam-gu? Yr ail o'r mis nesa yw'r dyddiad. Gobeithio byddi di 'na! Dyn ni'n mynd i'r Llew Du, ac maen nhw eisiau gwybod faint sy'n dod. Anfona decst neu rywbeth. Gwell i ti brynu anrheg iddi hi! Mae hi'n hoffi blodau... ond does dim rhaid i ti wario llawer o arian. Hwyl!

3.iii
Bore da, neges i Lynda Jones. Gwen Tomos sy'n siarad o gwmni Tai Pant-glas. Dych chi'n gallu cwrdd â fi yn y fflat ar Stryd y Bont yr wythnos nesa, dydd Iau'r unfed ar ddeg? Mae tenant newydd yn symud i mewn. Os gallwn ni gwrdd am ganol dydd, bydd hynny'n help mawr. Diolch yn fawr, a gobeithio'ch gweld chi yr wythnos nesa.

Sgript

Fersiwn y Gogledd

3.i

John? John? Dy chwaer di sy 'ma. Wyt ti'n medru dŵad i edrych ar ôl y plant wythnos nesa? Nos Fercher y degfed, dw i'n meddwl. Dw i'n mynd i gyngerdd yn y neuadd. Tyrd draw erbyn chwarter i saith. Ffonia 'nôl pan gei di gyfle. Dw i ddim isio gofyn i Shirley drws nesa eto, mae hi'n costio gormod. Os gwnei di hyn, mi gei di botel o win!

3.ii

Helo Chris, dy dad di sy'n siarad. Wyt ti'n cofio am barti pen-blwydd Nain? Yr ail o'r mis nesa ydy'r dyddiad. Gobeithio byddi di yno! Dan ni'n mynd i'r Llew Du, ac maen nhw isio gwybod faint sy'n dŵad. Anfona decst neu rywbeth. Gwell i ti brynu anrheg iddi hi! Mae hi'n hoffi blodau... ond does dim rhaid i ti wario llawer o bres. Hwyl!

3.iii

Bore da, neges i Lynda Jones. Gwen Tomos sy'n siarad o gwmni Tai Pant-glas. Dach chi'n medru fy nghyfarfod i yn y fflat ar Stryd y Bont yr wythnos nesa, dydd Iau'r unfed ar ddeg? Mae tenant newydd yn symud i mewn. Os byddwn ni'n medru cyfarfod am ganol dydd, mi fydd hynny'n help mawr. Diolch yn fawr, a gobeithio'ch gweld chi wythnos nesa.

Llenwch y nodiadau yma ar sail y wybodaeth yn y negeseuon ffôn.
Fill in these notes on the basis of the information in the telephone messages.

4.i Oddi wrth: ____________________ i: ____________________

Mae hi eisiau / isio bwcio'r neuadd. / Mae hi eisiau / isio gwybod...

i. ____

ii. ____

iii. ____

4.ii Oddi wrth: ____________________ i: ____________________

Os ydy e eisiau'r hamper, rhaid iddo fe... / Os ydy o isio'r hamper rhaid iddo fo...

i. ____

ii. ____

iii. ____

4.iii Oddi wrth: ____________________ i: ____________________

Ar y trip, rhaid i'r bois / hogiau yn y tîm beidio...

i. ____

ii. ____

iii. ____

Sgript

Fersiwn y De

4.i
Dyma neges i Wendy Evans. Fi yw ysgrifennydd Cwmni Theatr y Cwm. Dyn ni eisiau bwcio neuadd Aber-sarn. Ro'n i eisiau gofyn un neu ddau o bethau i chi... dw i ddim wedi bod yn y neuadd o'r blaen. Faint o bobl sy'n gallu ffitio i mewn i'r neuadd? Dw i ddim yn credu bydd cannoedd yn dod i weld ein drama ni, cofiwch! Oes lle i ni barcio lori yn y cefn? Mae hynny'n ddefnyddiol iawn. O, y cwestiwn mwya pwysig: ydy'r lle ar gael ar y pumed o Chwefror? Ffonia i eto yfory i gael sgwrs. Hwyl.

4.ii
Prynhawn da, dyma neges i Alun Roberts. Sali Owen sy'n siarad, o siop Fferm Cwm Bach. Llongyfarchiadau, dych chi wedi ennill ein hamper Nadolig! Os dych chi eisiau'r wobr, bydd rhaid i chi alw yn y siop ddydd Llun. Dyn ni ar gau dros y penwythnos. Gobeithio hefyd byddwch chi'n hapus i siarad ar y radio lleol, ac i gael eich llun yn y papur. Rhaid gwneud y pethau yma mae arna i ofn. Gobeithio byddwn ni'n eich gweld chi'r wythnos nesa... mae'n hamper gwerth ei gael!

4.iii
Helo Trystan. Dim ond neges fach am y trip dydd Gwener nesa. Fel rheolwr y tîm pêl-droed, dw i eisiau i ti gofio un neu ddau o bethau. Ti yw capten y tîm, felly gwna'n siŵr fod y bois i gyd yn cael y neges hefyd. Dw i ddim eisiau clywed bod neb wedi bod yn yfed na smygu dros y penwythnos. Os bydd rhywun o'r tîm yn cael ei arestio, byddan nhw mewn trwbwl a fyddan nhw ddim yn cael chwarae i dîm pêl-droed Cwm Bach byth eto, deall?

Sgript

Fersiwn y Gogledd

4.i
Dyma neges i Wendy Evans. Fi ydy ysgrifennydd Cwmni Theatr y Cwm. Dan ni isio bwcio neuadd Aber-sarn. Ro'n i isio gofyn un neu ddau o bethau i chi... dw i ddim wedi bod yn y neuadd o'r blaen. Faint o bobl sy'n medru ffitio i mewn i'r neuadd? Dw i ddim yn credu bydd cannoedd yn dŵad i weld ein drama ni, cofiwch! Oes 'na le i ni barcio lori yn y cefn? Mae hynny'n ddefnyddiol iawn. O, y cwestiwn mwya pwysig: ydy'r lle ar gael ar y pumed o Chwefror? Mi wna i ffonio eto yfory i gael sgwrs. Hwyl.

4.ii
Prynhawn da, dyma neges i Alun Roberts. Sali Owen sy'n siarad, o siop Fferm Cwm Bach. Llongyfarchiadau, dach chi wedi ennill ein hamper Nadolig! Os dach chi isio'r wobr, mi fydd rhaid i chi alw yn y siop ddydd Llun. Dan ni ar gau dros y penwythnos. Gobeithio hefyd byddwch chi'n hapus i siarad ar y radio lleol, ac i gael eich llun yn y papur. Rhaid gwneud y pethau yma mae gen i ofn. Gobeithio byddwn ni'n eich gweld chi wythnos nesa... mae'n hamper gwerth ei gael!

4.iii
Helo Trystan. Dim ond neges fach am y trip dydd Gwener nesa. Fel rheolwr y tîm pêl-droed, dw i isio i ti gofio un neu ddau o bethau. Ti ydy capten y tîm, felly gwna'n siŵr fod yr hogia i gyd yn cael y neges hefyd. Dw i ddim isio clywed bod neb wedi bod yn yfed na smygu dros y penwythnos. Os bydd rhywun o'r tîm yn cael ei arestio, mi fyddan nhw mewn trwbwl a fyddan nhw ddim yn cael chwarae i dîm pêl-droed Cwm Bach byth eto, dallt?

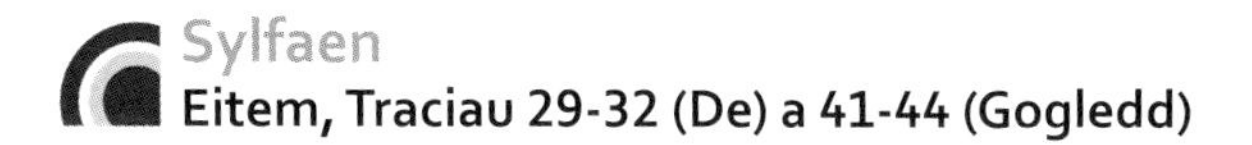

Awgrymiadau i'r tiwtor

Mae'r 'eitemau' hyn mewn gwirionedd yn fonologau. Ar sail y fonolog, ceir nifer o gwestiynau amlddewis. Dylai'r dysgwyr fod yn barod am wrthdynwyr yma, sef dewisiadau a allai dynnu eu sylw neu eu camarwain. 'Red herrings' oedd yr ymadrodd a ddefnyddiodd un dysgwr. Graddiwyd yr eitemau yn y pecyn hwn o'r hawdd i'r anodd. Defnyddir yr amser gorffennol yn yr eitemau i gyd, ond nid dyna'r unig nodwedd.

Eitem 1

Mae'r eitem hon ychydig yn wahanol ac mae'n syml iawn, gan fod tri o bobl wahanol yn cael eu holi, yn lle un. Mae'r gwrthdynwyr yma'n amlwg iawn ac yn hawdd eu canfod. Canolbwyntir hefyd ar gyfnodau amser, e.e. wythnos, pythefnos ac ati.

Eitem 2

Mae'r eitem hon yn ddigon syml, ac mae'n ymarfer da i wahaniaethu rhwng y gorffennol a'r amherffaith. Fel gweithgaredd ymestynnol, gellir gofyn i bawb lunio hunan-bortread i'w roi ar wefan i ddarpar gariadon.

Eitem 3

Mae'r eitem hon ychydig yn fwy anodd ac yn sôn am drafferthion cael plymar i wneud gwaith yn y tŷ. Gall sbarduno trafodaeth ddifyr.

Eitem 4

Mae'r eitem hon yn cynnwys nodweddion ieithyddol amrywiol a mwy o elfennau dieithr i'w hanwybyddu, ond mae'r pwnc yn ddigon cyfarwydd a rhagweladwy.

1. Rhaid i'r ymgeiswyr greu atebion amlddewis (fel sydd yn yr arholiad). Yn y prawf, nid cwestiynau a geir, ond brawddegau lle mae'r diwedd yn amrywio. Dyna'r elfen amlddewis. Er enghraifft gydag Eitem 2, gellir rhoi'r dechreuadau ar y bwrdd gwyn:

Fersiwn y De

1. Sam yw...
2. Gorffennodd hi gyda Tom achos...
3. Aeth Dolores ma's gyda Ffred...
   ac yn y blaen

Fersiwn y Gogledd

1. Sam ydy...
2. Mi wnaeth hi orffen efo Tom achos...
3. Mi aeth Dolores allan efo Ffred...
   ac yn y blaen

Gellir defnyddio'r rhain fel tasg – gorffen y brawddegau, gan ddefnyddio atebion byrion. Neu, gellir gofyn i bawb greu tri neu bedwar terfyniad newydd, gan fod mor dwyllodrus a chamarweiniol â phosibl. Ar ôl gweithio ar y cwestiynau, gall pob pâr ddarllen y cwestiynau'n uchel i'r dosbarth cyfan gael dyfalu'r atebion cywir.

2. Trafodaeth bellach. Mae pob un o'r 'Eitemau' neu fonologau'n cynnwys stori neu sefyllfa a ddylai sbarduno trafod pellach. Mae'n bwysig estyn pob gweithgaredd, yn cynnwys gweithgaredd gwrando, i gael cymaint o iaith lafar ag sy'n bosib allan o'r dysgwyr. Er enghraifft, mae Eitem 3 yn ymdrin â phroblem dod o hyd i blymar da. Ar ôl gorffen y dasg wrando, gellir rhoi'r cwestiynau sbardun isod ar y bwrdd gwyn, neu ar gardiau i'w trafod mewn parau:

   Dych chi wedi cael problemau ffeindio plymar erioed?
   Beth sy'n twymo/cynhesu eich tŷ chi?
   Tasech chi'n chwilio am blymar, beth fasech chi'n wneud?

   Mae perygl fod diffyg geirfa'n baglu'r drafodaeth, ond ni ddylid caniatáu i'r trafod droi i'r Saesneg o gwbl. Dylai'r tiwtor fod yn ymwybodol o allu'r dosbarth ac a fydd unrhyw destun trafod o fewn eu gafael.

3. Cofio ffeithiau. Mae hwn yn gweithio gyda'r portread yn Eitem 4. Gellir rhoi darn o bapur i bawb a gofyn iddyn nhw wrando ar yr Eitem am Denise Brown. Ar ôl gwrando ddwywaith, rhaid sgriblo cymaint o ffeithiau ag y maen nhw'n eu cofio amdani, e.e. i Wrecsam 10 mlynedd yn ôl, tiwtor = Elin, arholiad Mynediad, cymdogion... Does dim angen brawddegau o gwbl. Yna, gellir ailddosbarthu'r taflenni, a gofyn i bawb gymryd rôl Denise Brown yn ei dro ac ateb cwestiynau yn y person cyntaf:

   Pryd symudoch chi i Wrecsam?
   Pwy oedd eich tiwtor chi?
   Wnaethoch chi arholiad?
   Gyda/Efo pwy dych chi'n siarad Cymraeg?

   Wrth reswm, mae'r Eitem hon yn berthnasol i brofiad pawb, felly digon o gyfleon am drafodaeth bellach.

4. Gyda dosbarth da, gellir estyn y gweithgaredd ymhellach. Ar ôl cwblhau'r cwestiynau, gellir gwrando ar un o'r eitemau a throi'r wybodaeth sydd ynddi i'r trydydd person – ar lafar mewn parau.

Sylfaen
Eitem 1, Trac 29

Cwestiynau

Fersiwn y De

1. Y broblem i'r dyn yn Sbaen oedd...
   - a. y tywydd.
   - b. y bwyd.
   - c. y gwesty.
   - ch. pobl ifanc swnllyd.

2. Roedd e yn Sbaen...
   - a. am y penwythnos.
   - b. am wythnos.
   - c. am wythnos a hanner.
   - ch. am bythefnos.

3. Y lle gorau ar y gwyliau yn America oedd...
   - a. Vermont.
   - b. Efrog Newydd.
   - c. Washington.
   - ch. Boston.

4. Aeth hi i America...
   - a. am wythnos.
   - b. am bythefnos.
   - c. am fis.
   - ch. am fis a hanner.

5. Y llynedd, aeth y dyn ar y bws i...
   - a. Eastbourne.
   - b. Blackpool.
   - c. Landudno.
   - ch. Bournemouth.

6. Aeth e ar y gwyliau bws...
   - a. am benwythnos.
   - b. am wythnos.
   - c. am bythefnos.
   - ch. am fis.

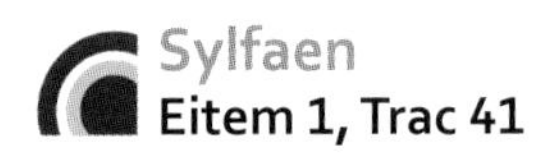

Cwestiynau

Fersiwn y Gogledd

1. Y broblem i'r dyn yn Sbaen oedd...
   - a. y tywydd.
   - b. y bwyd.
   - c. y gwesty.
   - ch. pobl ifanc swnllyd.

2. Roedd o yn Sbaen...
   - a. am y penwythnos.
   - b. am wythnos.
   - c. am wythnos a hanner.
   - ch. am bythefnos.

3. Y lle gorau ar y gwyliau yn America oedd...
   - a. Vermont.
   - b. Efrog Newydd.
   - c. Washington.
   - ch. Boston.

4. Mi wnaeth hi fynd i America...
   - a. am wythnos.
   - b. am bythefnos.
   - c. am fis.
   - ch. am fis a hanner.

5. Llynedd, mi wnaeth y dyn fynd ar y bws i...
   - a. Eastbourne.
   - b. Blackpool.
   - c. Landudno.
   - ch. Bournemouth.

6. Mi wnaeth o fynd ar y gwyliau bws...
   - a. am benwythnos.
   - b. am wythnos.
   - c. am bythefnos.
   - ch. am fis.

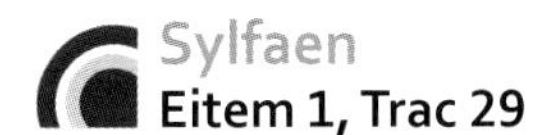

Sgript
Fersiwn y De

[sŵn pobl ar y stryd]

Merch: Dw i yma ar stryd fawr Llanaber heddiw yn gofyn i bobl am eu gwyliau... Bore da, syr, ga' i siarad â chi am funud?

Dyn: Cewch, wrth gwrs.

Merch: Ga' i ofyn beth dych chi'n ei gofio am eich gwyliau diwetha?

Dyn: Wel... aethon ni i Sbaen, dw i'n meddwl, do, i Sbaen. Roedd y tywydd yn braf iawn, y gwesty'n fendigedig ac roedd y bwyd yn flasus. Ond... roedd gormod o bobl ifanc yn aros yn yr un lle, ac ro'n nhw'n gwneud sŵn drwy'r nos. Chysgais i ddim o gwbl am wythnos a hanner! Dyna'r gwyliau gwaetha ges i erioed.

[sŵn pobl ar y stryd]

Dyn: Helo, madam, ga' i ofyn cwestiwn neu ddau... Beth dych chi'n ei gofio am eich gwyliau diwetha?

Merch: Gwyliau diwetha? Mmm... dw i ddim yn cofio. O ie, es i i America i weld fy mrawd i ddwy flynedd yn ôl. Aethon ni i Efrog Newydd, Washington a Boston... ond mwynheuais i fynd drwy gefn gwlad Vermont yn fwy na dim. Roedd hi fel bod yng nghefn gwlad Cymru! Ro'n i yn America am fis, a dyna'r gwyliau gorau ges i erioed.

[sŵn pobl ar y stryd]

Merch: Esgusodwch fi syr, ga' i siarad â chi? Dw i eisiau gofyn beth dych chi'n ei gofio am eich gwyliau diwetha?

Dyn: Gwyliau? Ga' i feddwl... Dw i'n mynd bob blwyddyn gyda chwmni Bysus Gwyn. Es i Landudno dwedwch?... naddo. Dw i wedi bod yn Bournemouth ac Eastbourne hefyd, ond i ble es i y llynedd? O, dw i'n cofio: Blackpool. Dyna'r gwyliau gwlypa ges i erioed! Roedd hi'n bwrw bob dydd. Dim ond penwythnos oedd e, ond ro'n i'n dost ar ôl dod adre. Byth eto!

[sŵn pobl ar y stryd]

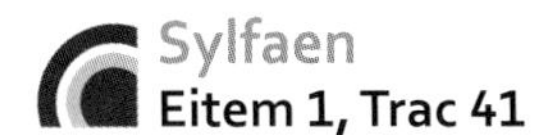

Sgript

Fersiwn y Gogledd

[sŵn pobl ar y stryd]

Hogan: Dw i yma ar stryd fawr Llanaber heddiw yn gofyn i bobl am eu gwyliau... Bore da, syr, ga' i siarad efo chi am funud?

Dyn: Cewch, wrth gwrs.

Hogan: Ga' i ofyn be' dach chi'n ei gofio am eich gwyliau diwetha?

Dyn: Wel... mi wnaethon ni fynd i Sbaen, dw i'n meddwl, do, i Sbaen. Roedd y tywydd yn braf iawn, y gwesty'n fendigedig ac roedd y bwyd yn flasus. Ond... roedd 'na ormod o bobl ifanc yn aros yn yr un lle, ac roedden nhw'n gwneud sŵn drwy'r nos. Wnes i ddim cysgu o gwbl am wythnos a hanner! Dyna'r gwyliau gwaetha wnes i gael erioed.

[sŵn pobl ar y stryd]

Dyn: Helo, madam, ga' i ofyn cwestiwn neu ddau... Be' dach chi'n ei gofio am eich gwyliau diwetha?

Hogan: Gwyliau diwetha? Mmm... dw i ddim yn cofio. O ia, mi wnes i fynd i America i weld fy mrawd i ddwy flynedd yn ôl. Mi wnaethon ni fynd i Efrog Newydd, Washington a Boston... ond mi wnes i fwynhau mynd drwy gefn gwlad Vermont yn fwy na dim. Roedd hi fel bod yng nghefn gwlad Cymru! Ro'n i yn America am fis, a dyna'r gwyliau gorau wnes i gael erioed.

[sŵn pobl ar y stryd]

Hogan: Esgusodwch fi syr, ga' i siarad efo chi? Dw i isio gofyn be' dach chi'n ei gofio am eich gwyliau diwetha?

Dyn: Gwyliau? Ga' i feddwl... Dw i'n mynd bob blwyddyn efo cwmni Bysus Gwyn. wnes i fynd i Landudno dudwch?... naddo. Dw i wedi bod yn Bournemouth ac Eastbourne hefyd, ond i le wnes i fynd llynedd? O, dw i'n cofio: Blackpool. Dyna'r gwyliau gwlypa wnes i gael erioed! Roedd hi'n bwrw bob dydd. Dim ond penwythnos oedd o, ond ro'n i'n sâl ar ôl dŵad adre. Byth eto!

[sŵn pobl ar y stryd]

Cwestiynau

Fersiwn y De

1. Sam yw...
   - a. cariad Dolores.
   - b. gŵr Dolores.
   - c. ci Dolores.
   - ch. enw arall Dolores.

2. Gorffennodd hi gyda Tom achos...
   - a. doedd e ddim yn hoffi Sam.
   - b. roedd e'n dod o Sheffield yn wreiddiol.
   - c. cafodd/gaeth e swydd newydd yn Sheffield.
   - ch. roedd e ar Facebook drwy'r amser.

3. Aeth Dolores ma's gyda Ffred...
   - a. unwaith.
   - b. ddwywaith.
   - c. dair gwaith.
   - ch. bob dydd.

4. Gorffennodd hi gyda Ffred achos...
   - a. roedd hi'n anodd cael sgwrs gyda fe.
   - b. roedd e'n rhy ifanc.
   - c. doedd dim arian gyda fe.
   - ch. roedd e'n gweithio mewn tafarn.

5. Roedd hi'n hoffi Jim achos...
   - a. Sais oedd e.
   - b. roedd e'n hen.
   - c. roedd e'n dal.
   - ch. roedd e'n talu am bopeth.

6. Gorffennodd hi gyda Jim achos...
   - a. roedd e'n rhy hen.
   - b. doedd e ddim yn bwyta cig.
   - c. doedd e ddim yn siarad Cymraeg.
   - ch. roedd e'n siarad gormod.

Cwestiynau

Fersiwn y Gogledd

1. Sam ydy...
   - a. cariad Dolores.
   - b. gŵr Dolores.
   - c. ci Dolores.
   - ch. enw arall Dolores.

2. Mi wnaeth hi orffen efo Tom achos...
   - a. doedd o ddim yn hoffi Sam.
   - b. roedd o'n dŵad o Sheffield yn wreiddiol.
   - c. mi gaeth o swydd newydd yn Sheffield.
   - ch. roedd o ar Facebook drwy'r amser.

3. Mi aeth Dolores allan efo Ffred...
   - a. unwaith.
   - b. ddwywaith.
   - c. dair gwaith.
   - ch. bob dydd.

4. Mi wnaeth hi orffen efo Ffred achos...
   - a. roedd hi'n anodd cael sgwrs efo fo.
   - b. roedd o'n rhy ifanc.
   - c. doedd gynno fo ddim pres.
   - ch. roedd o'n gweithio mewn tafarn.

5. Roedd hi'n hoffi Jim achos...
   - a. Sais oedd o.
   - b. roedd o'n hen.
   - c. roedd o'n dal.
   - ch. roedd o'n talu am bopeth.

6. Mi wnaeth hi orffen efo Jim achos...
   - a. roedd o'n rhy hen.
   - b. doedd o ddim yn bwyta cig.
   - c. doedd o ddim yn siarad Cymraeg.
   - ch. roedd o'n siarad gormod.

Sgript

Fersiwn y De

[sŵn cerddoriaeth yn tawelu]

Llais dyn: Wel, ein pwnc trafod ni y prynhawn 'ma yw... sut i chwilio am gariad. Gyda ni, mae Dolores Jones, a dyma ei hanes hi.

Llais merch: Dolores Jones ydw i. Dw i'n dod o Aber-sarn yn wreiddiol, a dw i'n byw ar hyn o bryd gyda Sam. Sam yw enw fy nghi i, gyda llaw, fy ffrind gorau yn y byd.

Ro'n i'n arfer byw gyda Tom, fy nghariad cynta i. Ond, roedd pethau'n anodd ar ôl iddo fe symud i weithio yn Sheffield. Roedd hi'n rhy bell i deithio adre bob penwythnos. Dyn ni'n ffrindiau o hyd, a dw i'n cysylltu â fe drwy Facebook ambell waith.

Es i ar y we wedyn i ffeindio cariad newydd. Cwrddais i â Ffred mewn tafarn yn Aber-sarn ar ôl trefnu dros y we. Roedd e'n iawn... ond ddim yn iawn i fi. Aethon ni am bryd o fwyd yr wythnos wedyn, ond dw i ddim wedi'i weld e ers hynny. Doedd dim byd gyda fe i'w ddweud!

Jim oedd nesa. Roedd e'n siarad digon. Doedd e ddim yn ifanc, ond doedd hynny ddim yn broblem. Roedd e'n ddyn neis iawn a dweud y gwir – talodd e am bob pryd o fwyd. Buon ni'n gweld ein gilydd am fis, ond roedd hi'n anodd i fi siarad Saesneg â fe drwy'r amser. Doedd e ddim yn deall un gair o Gymraeg!

Felly, does dim cariad gyda fi ar hyn o bryd. Os oes rhywun yn gwrando ac eisiau cwrdd â merch broffesiynol, dal, gyda gwallt coch, o ardal Aber-sarn... ac sy'n hoffi cŵn... ffoniwch!

Llais dyn: Wel, dyna ni. Diolch yn fawr Dolores, a phob lwc!

Sgript

Fersiwn y Gogledd

[sŵn cerddoriaeth yn tawelu]

Llais dyn: Wel, ein pwnc trafod ni y prynhawn 'ma ydy... sut i chwilio am gariad. Efo ni, mae Dolores Jones, a dyma ei hanes hi.

Llais hogan: Dolores Jones ydw i. Dw i'n dŵad o Aber-sarn yn wreiddiol, a dw i'n byw ar hyn o bryd efo Sam. Sam ydy enw fy nghi i, gyda llaw, fy ffrind gorau yn y byd.

Ro'n i'n arfer byw efo Tom, fy nghariad cynta i. Ond, roedd pethau'n anodd ar ôl iddo fo symud i weithio yn Sheffield. Roedd hi'n rhy bell i deithio adre bob penwythnos. Dan ni'n ffrindiau o hyd, a dw i'n cysylltu efo fo drwy Facebook weithiau.

Mi wnes i fynd ar y we wedyn i ffeindio cariad newydd. Mi wnes i gyfarfod Ffred mewn tafarn yn Aber-sarn ar ôl trefnu dros y we. Roedd o'n iawn... ond ddim yn iawn i mi. Mi wnaethon ni fynd am bryd o fwyd yr wythnos wedyn, ond dw i ddim wedi'i weld o ers hynny. Doedd gynno fo ddim byd i'w ddeud!

Jim oedd nesa. Roedd o'n siarad digon. Doedd o ddim yn ifanc, ond doedd hynny ddim yn broblem. Roedd o'n ddyn neis iawn a deud y gwir – mi wnaeth o dalu am bob pryd o fwyd. Mi wnaethon ni weld ein gilydd am fis, ond roedd hi'n anodd i mi siarad Saesneg efo fo drwy'r amser. Doedd o ddim yn dallt un gair o Gymraeg!

Felly, does gen i ddim cariad ar hyn o bryd. Os oes 'na rywun yn gwrando ac isio cyfarfod hogan broffesiynol, dal, efo gwallt coch, o ardal Aber-sarn... ac sy'n hoffi cŵn... ffoniwch!

Llais dyn: Wel, dyna ni. Diolch yn fawr Dolores, a phob lwc!

Cwestiynau

Fersiwn y De

1. Ffeindiodd Harri rif ffôn Llew Jones...
   - a. yn y papur.
   - b. ar y we.
   - c. drwy ffrind.
   - ch. o'r siop DIY.

2. Doedd Llew Jones ddim yn gallu gwneud y gwaith, achos...
   - a. roedd e'n rhy ddrud.
   - b. roedd gormod o waith gyda fe.
   - c. doedd e ddim yn deall cawodydd.
   - ch. roedd Harri'n byw mewn fflat.

3. Tasai Harri wedi cael 'Warm and Cosy Plumbing', basai fe wedi...
   - a. aros gartre am y dydd.
   - b. symud tŷ.
   - c. cael rhywun i weithio dydd Sadwrn a dydd Sul.
   - ch. talu llawer o arian.

4. Dylai Harri fod wedi...
   - a. cael cwmni lleol i wneud y gwaith.
   - b. cael cwmni bach i wneud y gwaith.
   - c. cael pris gan Gors Plumbing cyn dechrau.
   - ch. gofyn am ei arian yn ôl.

5. Roedd Gors Plumbing eisiau...
   - a. £100.
   - b. £150.
   - c. £200.
   - ch. £250.

6. Mae'r gawod...
   - a. wedi torri o hyd.
   - b. yn un newydd sbon.
   - c. yn gweithio'n iawn.
   - ch. yn y bath.

Cwestiynau

Fersiwn y Gogledd

1. Mi wnaeth Harri ffeindio rhif ffôn Llew Jones...
   - a. yn y papur.
   - b. ar y we.
   - c. drwy ffrind.
   - ch. o'r siop DIY.

2. Doedd Llew Jones ddim yn medru gwneud y gwaith, achos...
   - a. roedd o'n rhy ddrud.
   - b. roedd gynno fo ormod o waith.
   - c. doedd o ddim yn dallt cawodydd.
   - ch. roedd Harri'n byw mewn fflat.

3. Tasai Harri wedi cael 'Warm and Cosy Plumbing', mi fasai fo wedi...
   - a. aros adre am y dydd.
   - b. symud tŷ.
   - c. cael rhywun i weithio dydd Sadwrn a dydd Sul.
   - ch. talu llawer o bres.

4. Mi ddylai Harri fod wedi...
   - a. cael cwmni lleol i wneud y gwaith.
   - b. cael cwmni bach i wneud y gwaith.
   - c. cael pris gan Gors Plumbing cyn dechrau.
   - ch. gofyn am ei bres yn ôl.

5. Roedd Gors Plumbing isio...
   - a. £100.
   - b. £150.
   - c. £200.
   - ch. £250.

6. Mae'r gawod...
   - a. wedi torri o hyd.
   - b. yn un newydd sbon.
   - c. yn gweithio'n iawn.
   - ch. yn y bath.

Sgript

Fersiwn y De

[sŵn cerddoriaeth yn tawelu]

Llais merch: Mae llawer o bobl wedi ffonio am y rhaglen ddoe. Ro'n ni'n trafod problem ffeindio plymar da. Ffoniodd Mr Harri Evans o Gaer-y-gors i ddweud ei hanes.

Llais dyn: Harri Evans sy'n siarad. Dw i wedi cael yr un broblem. Roedd y gawod wedi torri yn y 'stafell ymolchi, felly roedd rhaid ffeindio plymar. Dylwn i fod wedi gofyn i ffrind, ond wnes i ddim. Edrychais i ar y we.

Y plymar cynta ffeindiais i yno oedd Llew Jones. Ffoniais i fe, ond doedd e ddim yn gallu dod am fis arall. Roedd e'n gweithio bob dydd mewn fflatiau newydd yn y dre.

Y cwmni nesa oedd 'Warm and Cosy Plumbing'. Ro'n nhw'n gallu gwneud y gwaith, ond do'n nhw ddim yn gweithio ar ôl chwech y nos nac ar y penwythnos. Baswn i wedi colli diwrnod o waith.

Yn y diwedd, ffoniais i Gors Plumbing. Cwmni lleol, cwmni bach... ro'n i'n meddwl y basen nhw'n iawn. Dylwn i fod wedi gofyn am bris cyn iddyn nhw ddechrau, ond wnes i ddim. Daethon nhw yn y diwedd, ac ro'n nhw eisiau dau gant a hanner o bunnoedd! A wir... dyw'r gawod ddim yn gweithio'n iawn o hyd!

Dych chi'n gwybod am blymar da, sy'n gallu dod i ardal Caer-y-gors i roi cawod newydd i mewn? Plîs helpwch. Dw i'n casáu'r bath!

Sgript

Fersiwn y Gogledd

[sŵn cerddoriaeth yn tawelu]

Llais hogan: Mae 'na lawer o bobl wedi ffonio am y rhaglen ddoe. Roedden ni'n trafod problem ffeindio plymar da. Mi wnaeth Mr Harri Evans o Gaer-y-gors ffonio i ddeud ei hanes.

Llais dyn: Harri Evans sy'n siarad. Dw i wedi cael yr un broblem. Roedd y gawod wedi torri yn y 'stafell ymolchi, felly roedd rhaid ffeindio plymar. Mi ddylwn i fod wedi gofyn i ffrind, ond wnes i ddim. Mi wnes i edrych ar y we.

Y plymar cynta wnes i ffeindio yno oedd Llew Jones. Mi wnes i ei ffonio fo, ond doedd o ddim yn medru dŵad am fis arall. Roedd o'n gweithio bob dydd mewn fflatiau newydd yn y dre.

Y cwmni nesa oedd 'Warm and Cosy Plumbing'. Roedden nhw'n medru gwneud y gwaith, ond doedden nhw ddim yn gweithio ar ôl chwech y nos nac ar y penwythnos. Mi faswn i wedi colli diwrnod o waith.

Yn y diwedd, mi wnes i ffonio Gors Plumbing. Cwmni lleol, cwmni bach... ro'n i'n meddwl y basen nhw'n iawn. Mi ddylwn i fod wedi gofyn am bris cyn iddyn nhw ddechrau, ond wnes i ddim. Mi ddaethon nhw yn y diwedd, ac roedden nhw isio dau gant a hanner o bunnoedd! A wir... dydy'r gawod ddim yn gweithio'n iawn o hyd!

Dach chi'n gwybod am blymar da, sy'n medru dŵad i ardal Caer-y-gors i roi cawod newydd i mewn? Plîs helpwch. Mae'n gas gen i'r bath!

Cwestiynau

Fersiwn y De

1. Mae Denise yn byw yng Nghymru ers...
   - a. blwyddyn.
   - b. dwy flynedd
   - c. pum mlynedd.
   - ch. deg mlynedd.

2. Elin yw...
   - a. ei ffrind hi.
   - b. ei thiwtor hi.
   - c. ei chymydog hi.
   - ch. ei chi hi.

3. Prif reswm Denise dros ddysgu Cymraeg oedd...
   - a. siarad Cymraeg.
   - b. ysgrifennu Cymraeg.
   - c. cwrdd â ffrindiau.
   - ch. deall y plant.

4. Mae hi'n ymarfer...
   - a. yn y gwaith.
   - b. gyda'i theulu.
   - c. gyda'i phlant.
   - ch. gyda'r bobl drws nesa.

5. Cafodd/Gaeth hi ei magu...
   - a. yn Ne Affrica.
   - b. yn Somalia.
   - c. yn Lloegr.
   - ch. yng Nghymru.

6. Tasai hi'n cael mynd yn ôl mewn amser...
   - a. basai hi'n ymarfer mwy.
   - b. basai hi wedi dechrau dysgu cyn nawr.
   - c. basai hi'n cael tiwtor gwell.
   - ch. basai hi wedi symud i ardal arall.

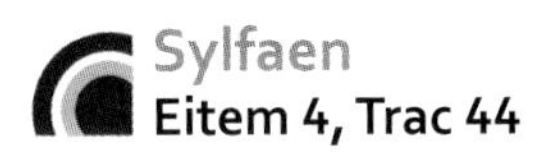

Cwestiynau

Fersiwn y Gogledd

1. Mae Denise yn byw yng Nghymru ers...
   - a. blwyddyn.
   - b. dwy flynedd
   - c. pum mlynedd.
   - ch. deg mlynedd.

2. Elin ydy...
   - a. ei ffrind hi.
   - b. ei thiwtor hi.
   - c. ei chymydog hi.
   - ch. ei chi hi.

3. Prif reswm Denise dros ddysgu Cymraeg oedd...
   - a. siarad Cymraeg.
   - b. ysgrifennu Cymraeg.
   - c. cyfarfod ffrindiau.
   - ch. dallt y plant.

4. Mae hi'n ymarfer...
   - a. yn y gwaith.
   - b. efo'i theulu.
   - c. efo'i phlant.
   - ch. efo'r bobl drws nesa.

5. Mi gaeth hi ei magu...
   - a. yn Ne Affrica.
   - b. yn Somalia.
   - c. yn Lloegr.
   - ch. yng Nghymru.

6. Tasai hi'n cael mynd yn ôl mewn amser...
   - a. mi fasai hi'n ymarfer mwy.
   - b. mi fasai hi wedi dechrau dysgu cyn rŵan.
   - c. mi fasai hi'n cael tiwtor gwell.
   - ch. mi fasai hi wedi symud i ardal arall.

Sgript

Fersiwn y De

[sŵn cymeradwyo'n tawelu]

Wel, diolch am y siawns i siarad â chi heddiw yn yr Eisteddfod. Denise Jones dw i, a dw i'n gobeithio taw fi fydd 'Dysgwr y Flwyddyn' eleni. Dyma fy hanes i.

Do'n i ddim wedi clywed Cymraeg o gwbl, ddeg mlynedd yn ôl. Do'n i ddim yn gwybod bod pobl yn siarad yr iaith a dweud y gwir! Dyna pryd symudon ni i Wrecsam gynta. Doedd dim amser gyda fi i fynd i ddosbarth ar y dechrau, ond ddwy flynedd yn ôl es i i ddosbarth nos gyda fy nhiwtor, Elin. Llynedd, gwnes i'r arholiad Mynediad, ac Oo, pasiais i! Do'n i ddim yn poeni cymaint am ddarllen ac ysgrifennu... eisiau sgwrsio ro'n i, a rhoddodd yr arholiad hwb mawr i fi.

Does dim teulu gyda fi sy'n siarad Cymraeg, does neb yn y gwaith i helpu, ond mae cymdogion gyda fi sy'n siarad Cymraeg drwy'r amser. Maen nhw wedi bod o help mawr, felly diolch yn fawr i Jac a Sali Evans. Does dim ots pa mor dda yw'r cwrs, rhaid i chi ymarfer tu fa's i'r dosbarth.

Ces i fy ngeni yn Somalia, ond aeth y teulu i Dde Affrica i fyw pan o'n i'n fabi bach, ac ro'n i'n byw yno nes ro'n i'n un deg saith oed. Ro'n i wedi arfer clywed llawer o ieithoedd o gwmpas y lle. Felly doedd clywed Cymraeg a Saesneg ddim yn broblem i fi.

Taswn i'n dechrau eto, beth baswn i'n ei wneud yn wahanol?... Dw i ddim yn gwybod. Dw i wedi bod yn lwcus iawn gyda fy nhiwtor, gyda ffrindiau yn y dosbarth a'r ardal. Dylwn i fod wedi dechrau flynyddoedd yn ôl, dyna i gyd.

Wel, diolch yn fawr am wrando. Baswn i wrth fy modd taswn i'n ennill gwobr Dysgwr y Flwyddyn, felly gobeithio byddwch chi'n fy newis i.

[sŵn cymeradwyo'n tawelu]

Sgript

Fersiwn y Gogledd

[sŵn cymeradwyo'n tawelu]

Wel, diolch am y siawns i siarad efo chi heddiw yn yr Eisteddfod. Denise Jones dw i, a dw i'n gobeithio mai fi fydd 'Dysgwr y Flwyddyn' eleni. Dyma fy hanes i.

Do'n i ddim wedi clywed Cymraeg o gwbl, ddeg mlynedd yn ôl. Do'n i ddim yn gwybod bod pobl yn siarad yr iaith a deud y gwir! Dyna pryd wnaethon ni symud i Wrecsam gynta. Doedd gen i ddim amser i fynd i ddosbarth ar y dechrau, ond ddwy flynedd yn ôl mi es i i ddosbarth nos efo fy nhiwtor, Elin. Llynedd, mi wnes i'r arholiad Mynediad, ac Oo, mi wnes i basio! Do'n i ddim yn poeni cymaint am ddarllen ac ysgrifennu... isio sgwrsio ro'n i, a mi wnaeth yr arholiad roi hwb mawr i mi.

Does gen i ddim teulu sy'n siarad Cymraeg, does 'na neb yn y gwaith i helpu, ond mae gen i gymdogion sy'n siarad Cymraeg drwy'r amser. Maen nhw wedi bod o help mawr, felly diolch yn fawr i Jac a Sali Evans. Does dim ots pa mor dda ydy'r cwrs, rhaid i chi ymarfer tu allan i'r dosbarth.

Mi ges i fy ngeni yn Somalia, ond mi aeth y teulu i Dde Affrica i fyw pan o'n i'n fabi bach, ac ro'n i'n byw yno nes ro'n i'n un deg saith oed. Ro'n i wedi arfer clywed llawer o ieithoedd o gwmpas y lle. Felly doedd clywed Cymraeg a Saesneg ddim yn broblem i mi.

Taswn i'n dechrau eto, be' baswn i'n ei wneud yn wahanol?... Dw i ddim yn gwybod. Dw i wedi bod yn lwcus iawn efo fy nhiwtor, efo ffrindiau yn y dosbarth a'r ardal. Mi ddylwn i fod wedi dechrau flynyddoedd yn ôl, dyna i gyd.

Wel, diolch yn fawr am wrando. Mi faswn i wrth fy modd taswn i'n ennill gwobr Dysgwr y Flwyddyn, felly gobeithio byddwch chi'n fy newis i.

[sŵn cymeradwyo'n tawelu]

Llenwi Ffurflen

Awgrymiadau

Mae'r deialogau hyn yn gofyn i'r ymgeisydd allu trosglwyddo gwybodaeth ffeithiol yn gywir, a chofnodi'r wybodaeth honno ar ffurflen.

Llenwi ffurflen 1

Mae hwn yn ddarn eithaf syml, yn gofyn am wybodaeth ffeithiol i fwcio ystafell mewn coleg. Does dim llawer o wrthdynwyr yma.

Llenwi ffurflen 2

Mae'r ffurflen hon yn gofnod o holiadur sy'n gofyn am farn ar raglenni teledu. Rhaid i'r dysgwr ysgrifennu mwy i gyfleu'r ateb, ond cofier nad yw'n colli marciau am wallau sillafu na gramadeg. Ar ôl gorffen, gellir trafod rhaglenni go iawn S4C a gofyn rhai o'r cwestiynau a ofynnir ar y ffurflen i gael barn y dosbarth am y rhaglenni hynny.

Llenwi ffurflen 3

Rhywun yn ffonio i lenwi ffurflen gais am arian i gefnogi papur bro sydd yma. Mae hon ychydig yn fwy anodd. Fel gwaith ymestynnol, gellir dod â hen gopïau o bapurau bro i'r dosbarth a'u rhoi i barau eu trafod (a'u cyfeirio at hysbysebion neu benawdau y byddan nhw'n eu deall). Os oes hysbysebion yn y papur, gellir gofyn i bawb i ble basen nhw'n hoffi mynd, e.e. cyngerdd, sioe, taith ac ati. Gyda dosbarth da, gellir trafod sut mae codi arian/pres, e.e. taith gerdded, golchi ceir, raffl, bore coffi ac yn y blaen.

Llenwi ffurflen 4

Ffurflen i ymuno â Chanolfan Hamdden yw hon. Nid yw'r dasg hon yn arbennig o anodd – trosglwyddo gwybodaeth a'i chofnodi yw'r nod.

1. Newid manylion y ffurflen. Ar ôl defnyddio'r darnau fel tasgau gwrando i'w llenwi, gellir troi pethau tu chwith. Gellir rhoi ffurflen newydd i'r dysgwyr (mewn parau) gyda manylion newydd arni. Rhaid rhoi copi o'r sgript berthnasol hefyd. Yna, rhaid i'r dysgwyr newid y sgript er mwyn cyfateb i'r manylion sydd ar y ffurflen newydd. Dyma enghraifft yn seiliedig ar Lenwi Ffurflen 1:

CANOLFAN Y COLEG

Ffurflen Bwcio Ystafelloedd	Enw:	Gwen Jones
	Estyniad ffôn:	2007
	Adran:	Cerddoriaeth
Ystafell(oedd)	Pa ystafell(oedd):	Neuadd
	Dyddiad(au):	o 5 Hydref i 6 Hydref
	Amser dechrau a gorffen:	o 7.00 i 10.30
	Rheswm:	Cyngerdd Côr y Coleg
	Anghenion:	200 o gadeiriau, bwrdd i werthu tocynnau.

Yna, gellir darllen y sgript yn uchel (mewn parau) i weld a ydyn nhw'n addas. Mae sawl ffordd o newid y sgript, a gall y gweithgaredd hwn gymryd tipyn o amser.

2. Ail-greu un o rannau'r ddeialog. Ar ôl defnyddio'r dasg fel ymarfer gwrando, gellir dosbarthu'r sgript berthnasol, ond wedi dileu geiriau un o'r lleiswyr, e.e.

Fersiwn y De

Merch:	Helo, ga' i siarad â Huw Morgan, os gwelwch chi'n dda?
Dyn:	______________________________
Merch:	Bore da Mr Morgan. Fy enw i yw Glesni Davies. Dw i'n gweithio i gwmni Abacus. Dw i'n ffonio i gael barn pobl am raglenni ar S4C. Dych chi'n gwylio S4C?
Dyn:	______________________________
Merch:	Da iawn. Oes pum munud gyda chi i ateb cwestiynau?
Dyn:	______________________________
Merch:	Gwych. Rhaid i fi ofyn cwestiwn neu ddau amdanoch chi'n gynta, Mr Morgan. Beth yw'r cyfeiriad:
Dyn:	______________________________
Merch:	Iawn... SY23 1HL. Diolch yn fawr.

Fersiwn y Gogledd

Hogan:	Helo, ga' i siarad â Huw Morgan, os gwelwch chi'n dda?
Dyn:	______________________________
Hogan:	Bore da Mr Morgan. Fy enw i ydy Glesni Davies. Dw i'n gweithio i gwmni Abacus. Dw i'n ffonio i gael barn pobl am raglenni ar S4C. Dach chi'n gwylio S4C?
Dyn:	______________________________
Hogan:	Da iawn. Oes gynnoch chi bum munud i ateb cwestiynau?
Dyn:	______________________________
Hogan:	Gwych. Rhaid i mi ofyn cwestiwn neu ddau amdanoch chi'n gynta, Mr Morgan. Be' ydy'r cyfeiriad:
Dyn:	______________________________
Hogan:	Iawn... SY23 1HL. Diolch yn fawr.

Does dim rhaid defnyddio'r ddeialog gyfan. Ar ôl darllen yn uchel, gellir dosbarthu'r sgriptiau go iawn i weld pa mor agos oedden nhw i'r gwreiddiol.

3. Syniad hwyliog arall yw torri sgript y ddeialog yn stribedi, yna'u rhoi i barau er mwyn rhoi'r sgript at ei gilydd eto – gyda help y ffurflen neu hebddi.

Ffurflen

CANOLFAN Y COLEG

Ffurflen Bwcio Ystafelloedd

Enw: ______________________

Estyniad ffôn: ______________________

Adran: ______________________

Ystafell(oedd)

Pa ystafell(oedd): ______________________

Dyddiad(au): o ____________ i ____________

Amser dechrau a gorffen: o ____________ i ____________

Rheswm: ______________________

Anghenion: ______________________

____

____

____

Sgript

Fersiwn y De

Dyn: Bore da, Canolfan y Coleg, ga' i'ch helpu chi?

Merch: Cewch, gobeithio. Fy enw i yw Gwen Davies. Dw i'n ffonio o'r Adran Ddrama.

Dyn: Gwen Davies? O'r Adran Ddrama?

Merch: Dyna chi. Fy rhif ffôn yn y coleg yw 2009.

Dyn: 2009?

Merch: Ie, dyna chi.

Dyn: Sut galla i'ch helpu chi, Gwen?

Merch: Dw i eisiau bwcio'r theatr ym mis Tachwedd.

Dyn: Un funud... reit, y theatr. Dim ond y theatr?

Merch: Ie, dim ond y theatr.

Dyn: Ar ba ddyddiadau dych chi eisiau bwcio'r theatr felly?

Merch: Wel, nos Iau, nos Wener a nos Sadwrn, o'r cyntaf i'r trydydd o Dachwedd.

Dyn: Y cyntaf... yr ail... a'r trydydd.... Mis Tachwedd.... Ydy, mae hynny'n iawn. Does dim byd arall wedi'i fwcio yn y theatr.

Merch: Byddwn ni eisiau dod i mewn am dri o'r gloch bob prynhawn i baratoi'r set, a byddwn ni wedi gorffen erbyn un ar ddeg o'r gloch y nos. Dyw hi ddim yn ddrama hir iawn.

Dyn: Iawn, dim problem. Dechrau am dri o'r gloch a gorffen am un ar ddeg. Beth sy'n digwydd yn y theatr felly?

Merch: Mae Cwmni Theatr y coleg yn perfformio 'Death of a Salesman'.

Dyn: Da iawn. Hoffwn i ddod i weld y perfformiad. Oes angen rhywbeth yn y theatr? Meicroffon?

Merch: Does dim angen meicroffon, nac oes. Basai'n syniad da bod y bar ar agor yn ystod yr egwyl. Fydd hynny'n bosib?

Dyn: Bydd, siŵr o fod. Trefna i gyda'r staff.

Merch: Diolch yn fawr. Siarada i â chi eto cyn mis Tachwedd, dw i'n siŵr.

Dyn: Iawn, popeth yn iawn am y tro. Pob hwyl, Gwen.

Sgript

Fersiwn y Gogledd

Dyn: Bore da, Canolfan y Coleg, ga' i'ch helpu chi?

Hogan: Cewch, gobeithio. Fy enw i ydy Gwen Davies. Dw i'n ffonio o'r Adran Ddrama.

Dyn: Gwen Davies? O'r Adran Ddrama?

Hogan: Dyna chi. Fy rhif ffôn yn y coleg ydy 2009.

Dyn: 2009?

Hogan: Ia, dyna chi.

Dyn: Sut medra i'ch helpu chi, Gwen?

Hogan: Dw i isio bwcio'r theatr ym mis Tachwedd.

Dyn: Un munud... reit, y theatr. Dim ond y theatr?

Hogan: Ia, dim ond y theatr.

Dyn: Ar ba ddyddiadau dach chi isio bwcio'r theatr felly?

Hogan: Wel, nos Iau, nos Wener a nos Sadwrn, o'r cyntaf i'r trydydd o Dachwedd.

Dyn: Y cyntaf... yr ail... a'r trydydd.... Mis Tachwedd.... Ydy, mae hynny'n iawn. Does 'na ddim byd arall wedi'i fwcio yn y theatr.

Hogan: Mi fyddwn ni isio dŵad i mewn am dri o'r gloch bob prynhawn i baratoi'r set, ac mi fyddwn ni wedi gorffen erbyn un ar ddeg o'r gloch y nos. Dydy hi ddim yn ddrama hir iawn.

Dyn: Iawn, dim problem. Dechrau am dri o'r gloch a gorffen am un ar ddeg. Be' sy'n digwydd yn y theatr felly?

Hogan: Mae Cwmni Theatr y coleg yn perfformio 'Death of a Salesman'.

Dyn: Da iawn. Mi faswn i'n hoffi dŵad i weld y perfformiad. Oes angen rhywbeth yn y theatr? Meicroffon?

Hogan: Does dim angen meicroffon, nac oes. Mi fasai'n syniad da bod y bar ar agor yn ystod yr egwyl. Fydd hynny'n bosib?

Dyn: Bydd, siŵr o fod. Mi wna i drefnu efo'r staff.

Hogan: Diolch yn fawr. Mi wna i siarad efo chi eto cyn mis Tachwedd, dw i'n siŵr.

Dyn: Iawn, popeth yn iawn am y tro. Pob hwyl, Gwen.

Ffurflen

abacus

Holiadur Rhaglenni Teledu

Enw: ______________________

Cyfeiriad: ______________________

____

____

Oed: 10-20 ☐ 21-30 ☐ 31-40 ☐ 41-50 ☐ 50+ ☐

Rhaglen 1 - Drama newydd

Hoffi beth: ______________________

____

Ddim yn
hoffi beth: ______________________

____

Rhaglen 2 - Rhaglen gerddoriaeth

Hoffi beth: ______________________

____

Ddim yn
hoffi beth: ______________________

____

Edrych ar S4C ar y we: Ydy ☐ Nac ydy ☐

Sgript

Fersiwn y De

Merch: Helo, ga' i siarad â Huw Morgan, os gwelwch chi'n dda?
Dyn: Huw Morgan sy'n siarad.
Merch: Bore da Mr Morgan. Fy enw i yw Glesni Davies. Dw i'n gweithio i gwmni Abacus. Dw i'n ffonio i gael barn pobl am raglenni ar S4C. Dych chi'n gwylio S4C?
Dyn: Ydw, dw i'n gwylio pob rhaglen bron!
Merch: Da iawn. Oes pum munud gyda chi i ateb cwestiynau?
Dyn: Oes, dim problem.
Merch: Gwych. Rhaid i fi ofyn cwestiwn neu ddau amdanoch chi gynta, Mr Morgan. Beth yw'ch cyfeiriad chi?
Dyn: Dw i'n byw yn rhif 2, Stryd y Bont, Aberystwyth. Y cod post yw SY23 1HL.
Merch: Iawn... SY23 1HL. Diolch yn fawr. Ga' i ofyn faint yw'ch oedran chi? Does dim rhaid i chi ateb.
Dyn: Does dim ots gyda fi ateb o gwbl. Dw i'n bum deg naw.
Merch: Diolch yn fawr. Nawr 'te Mr Morgan, weloch chi'r ddrama newydd 'Teulu Tŷ Coch' ar S4C neithiwr?
Dyn: Do.
Merch: Beth o'ch chi'n feddwl? Allwch chi ddweud beth o'ch chi'n ei hoffi am y rhaglen a beth o'ch chi ddim yn ei hoffi?
Dyn: Wel, ro'n i'n hoffi'r actio. Roedd yr actorion i gyd yn dda. Ddim yn ei hoffi? ... Wel, rhaid i fi ddweud bod gormod o Saesneg yn y rhaglen... does dim angen hynny mewn sgript Gymraeg.
Merch: Iawn... diolch yn fawr. Ga' i ofyn am y rhaglen gerddoriaeth newydd a ddechreuodd neithiwr, rhaglen Côr Meibion Bron Aber. Weloch chi honno?
Dyn: Do, wrth gwrs. Roedd hi'n ofnadwy.
Merch: Beth o'ch chi ddim yn ei hoffi 'te?
Dyn: Ro'n nhw'n canu pethau modern ac yn trio dawnsio wrth ganu. Ofnadwy! Ro'n i'n hoffi'r gân 'Myfanwy', ond dim byd arall. Fel arfer, dw i'n hoffi gwrando ar gorau, ond roedd y rhaglen yma'n ddiflas i fi.
Merch: Aa, dw i'n deall yn iawn. Dw i'n cytuno â chi Mr Morgan. Wel, dyna i gyd am y rhaglenni, dw i'n meddwl. Un peth eto, dych chi'n edrych ar S4C ar-lein o gwbl?
Dyn: Ar y teledu?
Merch: Nage, trwy'r cyfrifiadur.
Dyn: Ydy hynny'n bosib? Wel, wel... falle bydd rhaid i fi brynu cyfrifiadur un dydd.
Merch: Diolch am eich amser Mr Morgan.

Sgript

Fersiwn y Gogledd

Hogan: Helo, ga' i siarad efo Huw Morgan, os gwelwch chi'n dda?
Dyn: Huw Morgan sy'n siarad.
Hogan: Bore da Mr Morgan. Fy enw i ydy Glesni Davies. Dw i'n gweithio i gwmni Abacus. Dw i'n ffonio i gael barn pobl am raglenni ar S4C. Dach chi'n gwylio S4C?
Dyn: Ydw, dw i'n gwylio pob rhaglen bron!
Hogan: Da iawn. Oes gynnoch chi bum munud i ateb cwestiynau?
Dyn: Oes, dim problem.
Hogan: Gwych. Rhaid i mi ofyn cwestiwn neu ddau amdanoch chi gynta, Mr Morgan. Be' ydy'ch cyfeiriad chi?
Dyn: Dw i'n byw yn rhif 2, Stryd y Bont, Aberystwyth. Y cod post ydy SY23 1HL.
Hogan: Iawn... SY23 1HL. Diolch yn fawr. Ga' i ofyn faint ydy'ch oed chi? Does dim rhaid i chi ateb.
Dyn: Does dim ots gen i ateb o gwbl. Dw i'n bum deg naw.
Hogan: Diolch yn fawr. Rŵan 'ta Mr Morgan, wnaethoch chi weld y ddrama newydd 'Teulu Tŷ Coch' ar S4C neithiwr?
Dyn: Do.
Hogan: Be' oeddech chi'n feddwl? Wnewch chi ddeud be' oeddech chi'n ei hoffi am y rhaglen a be' doeddech chi ddim yn ei hoffi?
Dyn: Wel, ro'n i'n hoffi'r actio. Roedd yr actorion i gyd yn dda. Ddim yn ei hoffi? ... Wel, rhaid i mi ddeud bod 'na ormod o Saesneg yn y rhaglen... does dim angen hynny mewn sgript Gymraeg.
Hogan: Iawn... diolch yn fawr. Ga' i ofyn am y rhaglen gerddoriaeth newydd wnaeth ddechrau neithiwr, rhaglen Côr Meibion Bron Aber. Wnaethoch chi weld honno?
Dyn: Do, wrth gwrs. Roedd hi'n ofnadwy.
Hogan: Be' doeddech chi ddim yn ei hoffi felly?
Dyn: Roedden nhw'n canu pethau modern ac yn trio dawnsio wrth ganu. Ofnadwy! Ro'n i'n hoffi'r gân 'Myfanwy', ond dim byd arall. Fel arfer, dw i'n hoffi gwrando ar gorau, ond roedd y rhaglen yma'n ddiflas i mi.
Hogan: Aa, dw i'n dallt yn iawn. Dw i'n cytuno efo chi Mr Morgan. Wel, dyna i gyd am y rhaglenni, dw i'n meddwl. Un peth eto, dach chi'n edrych ar S4C ar-lein o gwbl?
Dyn: Ar y teledu?
Hogan: Naci, trwy'r cyfrifiadur.
Dyn: Ydy hynny'n bosib? Wel, wel... ella bydd rhaid i mi brynu cyfrifiadur un dydd.
Hogan: Diolch am eich amser Mr Morgan.

Ffurflen

Project Papur Bro

Cais am Arian/Bres (dros y ffôn)

Enw'r ysgrifennydd: ______________________

Cyfeiriad i gysylltu: ______________________

____

____

Enw'r papur bro: ______________________

Ardal y papur: ______________________

Pris y papur: __________

Ar gael ers: __________

Wedi cael grant o'r blaen: Ydy / Do ☐ Nac ydy / Naddo ☐

Faint: __________

Faint o grant mae'r papur yn gofyn amdano eleni: __________

Math o bethau sy yn y papur bro:

1. ______________________
2. ______________________
3. ______________________

Sut mae'r papur yn codi arian/pres:

1. ______________________
2. ______________________

Sgript

Fersiwn y De

Dyn:	Bore da, ga' i'ch helpu chi?
Merch:	Gobeithio. Rebecca Thomas dw i. Fi yw ysgrifennydd papur bro Cwm Glas.
Dyn:	Aa, dych chi eisiau ceisio am grant i'r papur bro y flwyddyn nesa?
Merch:	Ydw!
Dyn:	Dych chi wedi cyrraedd y person iawn. John Llywelyn dw i a dw i'n gweithio i'r Bwrdd Grantiau. Bydd rhaid i fi gymryd eich manylion dros y ffôn. Mae'r ffurflen i fod i gyrraedd cyn yfory.
Merch:	Diolch yn fawr. Ro'n i'n poeni mod i'n rhy hwyr.
Dyn:	Eich enw a'ch cyfeiriad chi i ddechrau.
Merch:	Rebecca Thomas, fel dwedais i. Y cyfeiriad yw Hafod, Stryd yr Ysgol, Abertawe a'r cod post yw SA1 9PH.
Dyn:	Hafod... Stryd yr Ysgol... Abertawe... SA1 9PH... iawn?
Merch:	Iawn.
Dyn:	Ac enw'r papur yw... Cwm Glas?
Merch:	Ie, dyna chi. Dyn ni'n cyrraedd ardal Abertawe a Chwm Tawe.
Dyn:	Dw i'n gwybod. Dw i'n gwybod am y papur. Dych chi'n gwneud gwaith da iawn. Faint yw pris y papur?
Merch:	Dim ond pum deg ceiniog.
Dyn:	Ers pryd mae'r papur bro'n mynd?
Merch:	Ers mil naw naw naw. Dyn ni'n bapur eitha ifanc, ond dyn ni wedi cael grant gyda chi yn y gorffennol.
Dyn:	O? Faint gaethoch chi llynedd?
Merch:	Mil, pum cant o bunnoedd. Ond, eleni, dyn ni'n gofyn am fil wyth cant o bunnoedd.
Dyn:	Mil wyth cant?
Merch:	Ie, mae'r costau wedi codi. Mae papur yn ddrud iawn.
Dyn:	Bydda i'n trafod eich cais gyda'r panel y mis nesa. Rhaid i fi ofyn cwestiwn neu ddau am y papur. Pa fath o bethau sy yn y papur?
Merch:	Newyddion o'r ardal... mae tudalen i bob ardal. Mae cwis bob mis gyda ni... mae hwnnw'n boblogaidd iawn. Mae adran i ysgolion gyda ni hefyd: mae honno'n newydd. Mae mwy o dudalennau gyda ni erbyn hyn, felly mae costau papur a chostau postio'n fwy.
Dyn:	Dw i'n gweld. Dych chi'n codi arian eich hun?
Merch:	Ydyn. Dyn ni'n gwneud bore coffi bob mis. Mae grŵp bach o bobl yn trefnu cyngerdd mawr bob blwyddyn hefyd. Mae hwnnw'n codi tua mil o bunnoedd.
Dyn:	Diolch. Wel, dyna ddigon am y tro. Mae'n bosib y bydda i'n cysylltu â chi eto am ragor o fanylion. Pob hwyl gyda'r papur.
Merch:	Diolch yn fawr i chi.

Sgript

Fersiwn y Gogledd

Dyn: Bore da, ga' i'ch helpu chi?

Hogan: Gobeithio. Rebecca Thomas dw i. Fi ydy ysgrifennydd papur bro Cwm Glas.

Dyn: Aa, dach chi isio ceisio am grant i'r papur bro y flwyddyn nesa?

Hogan: Oes!

Dyn: Dach chi wedi cyrraedd y person iawn. John Llywelyn dw i a dw i'n gweithio i'r Bwrdd Grantiau. Mi fydd rhaid i mi gymryd eich manylion dros y ffôn. Mae'r ffurflen i fod i gyrraedd cyn yfory.

Hogan: Diolch yn fawr. Ro'n i'n poeni mod i'n rhy hwyr.

Dyn: Eich enw a'ch cyfeiriad chi i ddechrau.

Hogan: Rebecca Thomas, fel wnes i ddeud. Y cyfeiriad ydy Hafod, Stryd yr Ysgol, Abertawe a'r cod post ydy SA1 9PH.

Dyn: Hafod... Stryd yr Ysgol... Abertawe... SA1 9PH... iawn?

Hogan: Iawn.

Dyn: Ac enw'r papur ydy... Cwm Glas?

Hogan: Ia, dyna chi. Dan ni'n cyrraedd ardal Abertawe a Chwm Tawe.

Dyn: Dw i'n gwybod. Dw i'n gwybod am y papur. Dach chi'n gwneud gwaith da iawn. Faint ydy pris y papur?

Hogan: Dim ond pum deg ceiniog.

Dyn: Ers pryd mae'r papur bro'n mynd?

Hogan: Ers mil naw naw naw. Dan ni'n bapur eitha ifanc, ond dan ni wedi cael grant gynnoch chi yn y gorffennol.

Dyn: O? Faint gaethoch chi llynedd?

Hogan: Mil, pum cant o bunnoedd. Ond, eleni, dan ni'n gofyn am fil wyth cant o bunnoedd.

Dyn: Mil wyth cant?

Hogan: Ia, mae'r costau wedi codi. Mae papur yn ddrud iawn.

Dyn: Mi fydda i'n trafod eich cais efo'r panel y mis nesa. Rhaid i mi ofyn cwestiwn neu ddau am y papur. Pa fath o bethau sy yn y papur?

Hogan: Newyddion o'r ardal... mae 'na dudalen i bob ardal. Mae gynnon ni gwis bob mis... mae hwnnw'n boblogaidd iawn. Mae gynnon ni adran i ysgolion hefyd: mae honno'n newydd. Mae gynnon ni fwy o dudalennau erbyn hyn, felly mae costau papur a chostau postio'n fwy.

Dyn: Dw i'n gweld. Dach chi'n codi pres eich hun?

Hogan: Ydan. Dan ni'n gwneud bore coffi bob mis. Mae grŵp bach o bobl yn trefnu cyngerdd mawr bob blwyddyn hefyd. Mae hwnnw'n codi tua mil o bunnoedd.

Dyn: Diolch. Wel, dyna ddigon am y tro. Mae'n bosib y bydda i'n cysylltu efo chi eto am fwy o fanylion. Pob hwyl efo'r papur.

Hogan: Diolch yn fawr i chi.

Ffurflen

CANOLFAN HAMDDEN CWM BRAF

Ffurflen Ymaelodi
Membership Form

Enw: ____________________

Cyfeiriad cartref: ____________________
____
____

Rhif ffôn: ____________________

Cyfeiriad e-bost: ____________________

		Enw	Perthynas *Relationship*
Teulu:	1.	__________	__________
	2.	__________	__________

Problemau iechyd?: ____________________
____

Eisiau defnyddio: ____________________
____
____

Talu sut: Debyd (cerdyn): ☐ Arian parod: ☐

Sgript

Fersiwn y De

Dyn:	Noswaith dda. Dw i eisiau ymuno â Chanolfan Hamdden Cwm Braf.
Merch:	Iawn, dych chi wedi ffonio'r rhif iawn. Mae'n bosib i chi ymuno dros y ffôn.
Dyn:	Da iawn! Wel, dw i'n dweud 'da iawn' ond dw i'n casáu cadw'n heini. Fy ngwraig i sy'n dweud mod i'n rhy dew.
Merch:	Aa. Peidiwch poeni. Ga' i gymryd manylion os gwelwch chi'n dda? Eich enw a'ch cyfeiriad yn gynta.
Dyn:	Sori, ie. Hywel Smith yw'r enw. Dw i'n byw yn 42 Parc y Bryn, Abercastell. Y cod post yw LL55 2DM.
Merch:	... LL55 2DM. Dyna ni. A'ch rhif ffôn?
Dyn:	01286 887 941.
Merch:	01286 887 941?
Dyn:	Yn gywir.
Merch:	Oes cyfeiriad e-bost gyda chi?
Dyn	Oes. Smith@abercastell.com.
Merch:	Diolch yn fawr. Mae'n bosib i chi roi eich teulu ar yr un ffurflen ymaelodi hefyd. Hoffech chi wneud hynny?
Dyn:	Syniad da iawn. Gwen fy ngwraig yw'r un sy'n hoffi gwneud pethau fel hyn. A'r mab. Mae e'n hoffi nofio. Peter Smith yw ei enw fe.
Merch:	Popeth yn iawn. Dw i wedi rhoi eich gwraig a'ch mab ar y ffurflen hefyd. Oes problemau iechyd y dylen ni gael gwybod amdanyn nhw? Oes unrhyw un yn cael problemau wrth gerdded neu rywbeth?
Dyn:	Nac oes. Ond mae asthma ar Peter. Dylech chi wybod hynny, ond dyw e ddim yn ddrwg.
Merch:	Diolch, mae'n bwysig i ni gael gwybod. Nawr, beth fyddwch chi'n ei ddefnyddio yn y ganolfan hamdden? Dych chi wedi sôn am nofio...
Dyn:	Ie, y pwll i'r mab. Fydda i ddim eisiau gwneud dim byd. Ond mae Gwen yn hoffi mynd ar y wal ddringo, badminton... llawer o bethau.
Merch:	Wel, mae hynny'n rhoi syniad i ni. Bydd yn costio saith deg pum punt y flwyddyn. Gallwch chi dalu drwy'r banc, neu dalu gydag arian pan fyddwch chi'n dod i mewn gynta.
Dyn:	Mm. Basai'n well i fi roi'r arian i fy ngwraig. Bydd hi'n dod heno, dw i'n siŵr.
Merch:	Dim problem. Gobeithio byddwch chi'n mwynhau defnyddio Canolfan Hamdden Cwm Braf.
Dyn:	Diolch. Pob hwyl!

Sgript

Fersiwn y Gogledd

Dyn: Noswaith dda. Dw i isio ymuno â Chanolfan Hamdden Cwm Braf.

Hogan: Iawn, dach chi wedi ffonio'r rhif iawn. Mae'n bosibl i chi ymuno dros y ffôn.

Dyn: Da iawn! Wel, dw i'n deud 'da iawn' ond dw i'n casáu cadw'n heini. Fy ngwraig i sy'n deud mod i'n rhy dew.

Hogan: Aa. Peidiwch â phoeni. Ga' i gymryd manylion os gwelwch chi'n dda? Eich enw a'ch cyfeiriad yn gynta.

Dyn: Sori, ia. Hywel Smith ydy'r enw. Dw i'n byw yn 42 Parc y Bryn, Abercastell. Y cod post ydy LL55 2DM.

Hogan: ... LL55 2DM. Dyna ni. A'ch rhif ffôn?

Dyn: 01286 887 941.

Hogan: 01286 887 941?

Dyn: Yn gywir.

Hogan: Oes gynnoch chi gyfeiriad e-bost?

Dyn Oes. Smith@abercastell.com.

Hogan: Diolch yn fawr. Mae'n bosib i chi roi eich teulu ar yr un ffurflen ymaelodi hefyd. Fasech chi'n hoffi gwneud hynny?

Dyn: Syniad da iawn. Gwen fy ngwraig ydy'r un sy'n hoffi gwneud pethau fel hyn. A'r mab. Mae o'n hoffi nofio. Peter Smith ydy ei enw fo.

Hogan: Popeth yn iawn. Dw i wedi rhoi eich gwraig a'ch mab ar y ffurflen hefyd. Oes 'na broblemau iechyd y dylen ni gael gwybod amdanyn nhw? Oes 'na unrhyw un yn cael problemau wrth gerdded neu rywbeth?

Dyn: Nac oes. Ond mae gan Peter asthma. Mi ddylech chi wybod hynny, ond dydy o ddim yn ddrwg.

Hogan: Diolch, mae'n bwysig i ni gael gwybod. Rŵan, be' fyddwch chi'n ei ddefnyddio yn y ganolfan hamdden? Dach chi wedi sôn am nofio...

Dyn: Ia, y pwll i'r mab. Fydda i ddim isio gwneud dim byd. Ond mae Gwen yn hoffi mynd ar y wal ddringo, badminton... llawer o bethau.

Hogan: Wel, mae hynny'n rhoi syniad i ni. Mi fydd yn costio saith deg pum punt y flwyddyn. Dach chi'n medru talu drwy'r banc, neu dalu efo pres pan fyddwch chi'n dŵad i mewn gynta.

Dyn: Mm. Mi fasai'n well i mi roi'r pres i fy ngwraig. Mi fydd hi'n dŵad heno, dw i'n siŵr.

Hogan: Dim problem. Gobeithio byddwch chi'n mwynhau defnyddio Canolfan Hamdden Cwm Braf.

Dyn: Diolch. Pob hwyl!

Negeseuon ffôn 1

Neges 1.i
Oddi wrth: chwaer Gwen
i: Gwen
Rhaid iddi hi brynu...
i. llaeth/llefrith
ii. bara
iii. papur

Neges 1.ii
Oddi wrth: Steve
i: John
Rhaid iddo fe/fo brynu...
i. gwin coch
ii. sigaréts
iii. potel o Chanel 5

Neges 1.iii
Oddi wrth: Mam
i: Dan
Rhaid iddo fe/fo brynu...
i. Y Cymro
ii. llyfr am hanes Aber-mawr
iii. cerdyn (pen-blwydd)

Negeseuon ffôn 2

Neges 2.i
Oddi wrth: John Edwards
i: Llinos
Mae angen iddi hi...
i. yrru'r bws mini i'r cyngerdd
ii. stopio yn Stryd y Bont
iii. ddod â'r piano bach o'r ysgol

Neges 2.ii
Oddi wrth: Sandra
i: Sam
Mae angen iddo fe/fo...
i. ofyn y cwestiynau yn y cwis
ii. fynd â meicroffon
iii. ffonio Jonathan (y tafarnwr)

Neges 2.iii
Oddi wrth: Gareth/rheolwr y tîm rygbi
i: Steffan
Mae angen iddo fe/fo...
i. chwarae i'r tîm cynta
ii. ffonio John Macintosh
iii. roi lifft i Tom

Negeseuon ffôn 3

Neges 3.i
Oddi wrth: chwaer John
i: John
Mae angen iddo edrych ar ôl y plant...
Dyddiad: Nos Fercher 10fed
Amser: 6.45
Tâl: potel o win

Neges 3.ii
Oddi wrth: tad Chris
i: Chris
Rhaid iddo fynd i'r parti...
Dyddiad: 2/yr ail o'r mis nesa
Ble/Lle: Llew Du
a dod/dŵad â: blodau

Neges 3.iii
Oddi wrth: Gwen Tomos
i: Lynda Jones
Mae angen iddi fynd i'r fflat...
Dyddiad: Dydd Iau / 11eg
Amser: Canol dydd / 12.00
Achos: Tenant newydd

Negeseuon ffôn 4

Neges 4.i
Oddi wrth: Ysgrifennydd Cwmni Theatr y Cwm
i: Wendy Evans
Mae e/o eisiau/isio bwcio'r neuadd.
Mae e/o eisiau/isio gwybod...
i. faint o bobl sy'n ffitio yn y neuadd
ii. oes lle i barcio lori yn y cefn
iii. ydy'r lle ar gael ar y 5ed o Chwefror

Neges 4.ii
Oddi wrth: Sali Owen
i: Alun Roberts
Os ydy e/o eisiau/isio'r hamper, rhaid iddo...
i. alw yn y siop wythnos nesa
ii. siarad ar y radio
iii. gael ei lun yn y papur

Neges 4.iii
Oddi wrth: rheolwr y tîm pêl-droed
i: Trystan
Ar y trip, rhaid i'r bois/hogiau yn y tîm beidio...
i. yfed
ii. smygu
iii. cael eu harestio

Eitemau

Eitem 1
1. ch
2. c
3. a
4. c
5. b
6. a

Eitem 2
1. c
2. c
3. b
4. a
5. ch
6. c

Eitem 3
1. b
2. b
3. a
4. c
5. ch
6. a

Eitem 4
1. ch
2. b
3. a
4. ch
5. a
6. b

Llenwi ffurflen

Llenwi ffurflen 1

Enw: Gwen Davies
Estyniad ffôn: 2009
Adran: Ddrama
Pa ystafelloedd: Theatr
Dyddiadau: o 1 Tachwedd i 3 Tachwedd
Amser dechrau a gorffen: 3pm i 11pm
Rheswm: perfformio drama
Anghenion: Bar

Llenwi ffurflen 2

Enw: Huw Morgan
Cyfeiriad: 2 Stryd y Bont, Aberystwyth, SY23 1HL
Oed: 50+ (59)
Rhaglen 1 – Drama newydd
Hoffi beth: yr actio
Ddim yn hoffi beth: gormod o Saesneg
Rhaglen 2 – Rhaglen gerddoriaeth
Hoffi beth: Myfanwy
Ddim yn hoffi beth: canu pethau modern/dawnsio
Edrych ar S4C ar y we: Nac ydy

Llenwi ffurflen 3

Enw'r ysgrifennydd: Rebecca Thomas
Cyfeiriad i gysylltu: Hafod, Stryd yr Ysgol, Abertawe, SA1 9PH
Enw'r papur bro: Cwm Glas
Ardal y papur: Abertawe a Chwm Tawe
Pris y papur: 50c
Ar gael ers: 1999
Wedi cael grant: Ydy
Faint: £1,500
Faint o grant mae'r papur yn gofyn amdano eleni: £1,800
Math o bethau sy yn y papur bro
1. newyddion
2. cwis
3. adran ysgolion

Sut mae'r papur yn codi arian/pres:
1. bore coffi
2. cyngerdd

Llenwi ffurflen 4

Enw: Hywel Smith
Cyfeiriad cartref: 42 Parc y Bryn, Abercastell, LL55 2DM.
Rhif ffôn: 01286 8887941
Cyfeiriad e-bost: Smith@abercastell.com
Teulu: Gwen – gwraig
Peter – mab/hogyn
Problemau iechyd: Peter - asthma
Eisiau defnyddio:
1. pwll
2. wal ddringo
3. badminton

Talu sut: Arian parod

Awgrymiadau i diwtoriaid

Mae dwy ran i'r prawf gwrando: Deialog a Bwletin Newyddion. Rhaid ateb cwestiynau byrion am yr eitemau hyn wrth glywed y darnau dair gwaith. Erbyn y lefel hon, disgwylir bod ymgeiswyr yn gallu deall rhai nodweddion o'r dafodiaith arall, e.e. gyda/efo, nawr/rŵan, gallu/medru. Fodd bynnag, rhoddir y ddeialog yn fersiwn y de neu'r gogledd o hyd. Fersiwn cyffredin sydd i'r bwletin newyddion, a'r iaith yn niwtral ac yn lled ffurfiol.

Erbyn diwedd lefel Canolradd mae disgwyl i'r ymgeiswyr ddeall ystod helaethach o eirfa a chystrawennau nag ar lefel Sylfaen. Yn fwy na hynny, mae disgwyl iddyn nhw allu 'casglu' gan ddangos dealltwriaeth o fwriad y siaradwr. Hynny yw, mae disgwyl i'r ymgeiswyr wneud mwy na dim ond codi ffeithiau o'r testun.

Deialog 1

Mae pedair deialog fer yma, i ddangos beth a olygir wrth gwestiynau ffeithiol a chwestiynau 'casglu'. Ceir dau gwestiwn ar bob darn, y cyntaf yn gwestiwn ffeithiol a'r ail yn gwestiwn casglu. Gellir defnyddio un ar y tro, neu'r cyfan gyda'i gilydd ond maent yn mynd ychydig yn fwy anodd wrth fynd ymlaen. Pwynt cwestiwn casglu ('to infer' yn Saesneg) yw bod rhaid i'r gwrandawr ddeall ergyd neu fwriad y siaradwr, yn lle clustfeinio am ffeithiau o fewn categori penodol, e.e. ymadroddion amser neu eiriau'n ymwneud â'r tywydd.

Gellir defnyddio'r darnau mewn llawer o ffyrdd. Er enghraifft, gellir gofyn i bawb ddarllen y cwestiynau'n gyntaf a gofyn iddynt ddyfalu beth sy'n digwydd yn y sefyllfa honno. Mae digon o gwestiynau sgwrsio ymestynnol yn codi hefyd, e.e. Ble dych chi wedi gweithio hira? Dych chi'n gwylio mwy neu lai o ffilmiau nawr/rŵan nag yn y gorffennol? Ble mae'r lle gorau i gael pryd o fwyd yn yr ardal? Dych chi wedi protestio erioed?

Deialog 2

Mae dwy ddeialog fer debyg yma, a phobl yn trafod rhinweddau (neu ffaeleddau tiwtor). Gellir rhoi'r cwestiynau fel y maent ar y bwrdd gwyn; Fel arall, yn lle rhoi'r cwestiynau ar y daflen, gellir rhannu'r dosbarth yn ddau grŵp – y naill i wrando ar y rhan gyntaf, a'r grŵp arall i wrando ar yr ail ran. Yna, cael pawb ynghyd i drafod y gwahaniaethau, gan roi cwestiynau fel yr isod ar y bwrdd gwyn:

Pwy sy'n siarad?
Ble maen nhw'n siarad?
Am beth maen nhw'n siarad?
Beth yw eu barn nhw?

Gall fod yn gyfle i sbarduno trafodaeth rydd hefyd, gan roi cwestiynau ychwanegol fel yr isod ar y bwrdd. Os yw'r tiwtor yn teimlo'n ddewr, gellir gofyn cwestiwn penagored fel...

Beth sy'n gwneud tiwtor da?
a rhoi rhestr ar y bwrdd gwyn, e.e.
hiwmor
paratoi
Cymraeg da
bod yn brydlon
bod yn garedig
rhoi digon o waith cartre

Deialog 3

Dyma ddeialog lawn, mewn dwy ran. Gall fod yn arbrawf diddorol gweld faint o gwestiynau gaiff y dysgwyr yn gywir ar ôl un gwrandawiad, dau wrandawiad ac ar ôl gwrando deirgwaith. Bydd hyn yn eu paratoi i beidio â mynd i banig wrth fethu ateb cwestiwn neu ddau ar y gwrandawiad cynta!

Mae'r ddeialog hon yn agosach at safon y deialogau yn yr arholiad Canolradd. Testun y drafodaeth yw hel achau, a bod rhywun yn ceisio cael gwybodaeth am ddihiryn ymhlith y cyndeidiau. Awgrymir bod pawb yn gallu gweithio mewn parau i ateb y cwestiynau, fel nad yw'n rhy frawychus. Mae'r cystrawennau a'r eirfa yn y ddeialog o fewn cyrraedd lefel ganolradd yn hawdd, ond mae'r pwnc yn eithaf haniaethol, ac yn gwneud y cwestiynau ychydig yn anos.

Dyma gwestiynau sbardun y gellir eu rhoi ar y bwrdd gwyn ar ôl ateb y cwestiynau a'u trafod fel dosbarth:

Dych chi'n gwybod rhywbeth am hanes eich teulu?
Tasech chi'n ffeindio rhywun drwg yn eich achau, fasech chi eisiau cuddio'r ffaith?
Sut basech chi'n ffeindio gwybodaeth am eich teulu chi?
Pa fath o waith roedd eich tad-cu/taid neu eich mam-gu/nain yn ei wneud?

Yn lle'r cwestiynau byrion arferol, gellir rhoi'r brawddegau isod i bob unigolyn neu bâr, neu eu rhoi ar y bwrdd gwyn. Rhaid iddyn nhw benderfynu a ydy'r brawddegau'n wir neu'n gau.

1. Mae Gwyn Jenkins yn gweithio i'r llyfrgell.
2. Roedd Caradog Jenkins yn lleidr enwog.
3. Mae mam-gu/nain Gwyn Jenkins yn dweud bod Caradog yn perthyn i'r teulu.
4. Buodd Caradog farw ym 1830.
5. Cafodd llyfrau eu hysgrifennu amdano pan oedd e'n fyw.
6. Mae llyfr Evan Evans allan o brint.
7. Does dim un llun ar gael o Caradog.
8. Doedd tad-cu/taid Gwyn Jenkins ddim yn edrych fel Caradog.
9. Basai mam-gu/nain Gwyn yn hoffi gweld y llun.
10. Dyw/Dydy hi ddim yn bosib mynd â'r llyfr hwn o'r llyfrgell.

Gweithgaredd ymestynnol gyda grŵp da: gellir gofyn iddyn nhw greu deialog debyg lle nad yw'r llyfrgellydd mor gymwynasgar, ac yn anghwrtais!

Canolradd
Deialog 1 (De a Gogledd), Traciau 49/52

Cwestiynau

1.1

i. Ers faint mae Dafydd yn gweithio yn y swyddfa?

____

ii. Beth sy'n awgrymu bod Dafydd yn hoffi ei waith?

____

1.2

i. Beth doedd Mair ddim yn ei hoffi am y ffilm?

____

ii. Pam roedd Mair wedi mynd i weld y ffilm?

____

1.3

i. Beth gafodd Gareth i bwdin?

____

ii. Pam dyw/dydy Gareth ddim yn gallu symud?

____

1.4

i. Pam mae Margaret yn erbyn adeiladu'r tai newydd?

____

ii. Sut mae Margaret yn mynd i brotestio?

____

Sgript

Fersiwn y De

1.1

A. Dafydd, beth amdanat ti; wyt ti'n mwynhau gweithio yn y swyddfa yma?
B. Ydw, ydw. Rhaid mod i'n hapus yma, dw i'n gweithio yma ers ugain mlynedd.

1.2

A. Beth o't ti'n ei feddwl o'r ffilm 'na, Mair? On'd oedd hi'n hir?
B. Roedd hi braidd yn hir, Tom. Do'n i ddim yn hoffi'r diwedd o gwbl, a dweud y gwir.
A. Dw i'n cytuno. Oni bai bod Siôn Gwyn yn actio ynddi, faswn i ddim wedi dod heno.
B. Roedd *e*'n dda iawn, ond trueni am y ffilm.

1.3

A. Gest ti ddigon o fwyd 'te, Gareth?
B. Bobol bach, do. Dw i ddim yn gallu symud.
A. Doedd dim rhaid i ti gael treiffl *a* chacen i bwdin, oedd e.
B. Dw i'n gwybod, diolch am fy atgoffa i.

1.4

A. Wyt ti'n meddwl y bydd y tai newydd yn cael eu hadeiladu, Margaret?
B. Faswn i ddim yn meddwl. Mae gormod o broblemau traffig.
A. Oes, ond mae'r cyngor wedi dweud bod rhaid adeiladu hanner cant o dai newydd.
B. Wir? Wel, dw i'n mynd i ysgrifennu llythyr arall i'r papur. Mae'n rhaid iddyn nhw ddeall bod dim lle i'r holl geir yna. Mae'n ddigon drwg fel y mae.

Sgript

Fersiwn y Gogledd

1.1

A. Dafydd, be' amdanat ti; wyt ti'n mwynhau gweithio yn y swyddfa yma?
B. Ydw, ydw. Rhaid mod i'n hapus yma, dw i'n gweithio yma ers ugain mlynedd.

1.2

A. Be' oeddet ti'n feddwl o'r ffilm 'na, Mair? Toedd hi'n hir?
B. Roedd hi braidd yn hir, Tom. Do'n i ddim yn hoffi'r diwedd o gwbl, a deud y gwir.
A. Dw i'n cytuno. Oni bai bod Siôn Gwyn yn actio ynddi, faswn i ddim wedi dŵad heno.
B. Roedd *o*'n dda iawn, ond bechod am y ffilm.

1.3

A. Gest ti ddigon o fwyd 'ta, Gareth?
B. Bobol bach, do. Dw i ddim yn medru symud.
A. Doedd dim rhaid i ti gael treiffl *a* chacen i bwdin, nac oedd.
B. Dw i'n gwybod, diolch am fy atgoffa i.

1.4

A. Wyt ti'n meddwl y bydd y tai newydd yn cael eu hadeiladu, Margaret?
B. Faswn i ddim yn meddwl. Mae 'na ormod o broblemau traffig.
A. Oes, ond mae'r cyngor wedi deud bod rhaid adeiladu hanner cant o dai newydd.
B. Wir? Wel, dw i'n mynd i ysgrifennu llythyr arall i'r papur. Mae'n rhaid iddyn nhw ddallt bod dim lle i'r holl geir yna. Mae'n ddigon drwg fel y mae.

Cwestiynau

2.1

1. Pam dyw / dydy'r dyn **ddim** yn hoffi Meic, y tiwtor newydd?

   ____

2. Pam doedd y dyn ddim wedi gwneud y gwaith cartre?

   ____

2.2

1. Pam mae'r ferch eisiau'r hen diwtor yn ôl?

   ____

2. Pam dyw / dydy'r dyn **ddim** wedi gwneud y gwaith cartre?

   ____

Sgript

Fersiwn y De

2.1

Dyn 1: Beth wyt ti'n feddwl o'r tiwtor newydd?
Merch 1: Meic? Mae e'n dda iawn, dw i'n meddwl. Mae e'n paratoi llawer, ac mae e'n gweithio'n galed.
Dyn 1: Ydy. Ond basai'n braf cael tipyn bach mwy o hiwmor.
Merch 1: Dw i ddim yn cytuno. Dw i'n chwerthin drwy'r amser!
Dyn 1: Wnest ti dy waith cartre yr wythnos 'ma?
Merch 1: Do. Roedd e'n anodd! Do'n i ddim yn deall yr ail gwestiwn o gwbl. Wnest ti fe?
Dyn 1: Naddo. Dw i wedi bod yn rhy brysur yn ddiweddar. Bydda i ar goll pan a' i i'r dosbarth, dw i'n siŵr.
Merch 1: Paid poeni!

2.2

Dyn 2: Beth wyt ti'n feddwl o'r tiwtor newydd?
Merch 2: Sali? Dw i ddim yn ei hoffi hi o gwbl. Dyw hi ddim yn paratoi.
Dyn 2: Dw i'n ei lico hi. Mae hi'n ddoniol.
Merch 2: Does dim amynedd gyda hi. Basai'n well 'da fi gael yr hen diwtor yn ôl!
Dyn 2: Wnest ti'r gwaith cartre yr wythnos 'ma?
Merch 2: Do. Roedd e'n hawdd. Ddysgais i ddim byd newydd. Wnest ti fe?
Dyn 2: Naddo. Anghofiais i fy llyfr cwrs yn y coleg. Gobeithio bydd e yn y dosbarth heno.
Merch 2: Bydd, mae'n siŵr, paid poeni.

Sgript

Fersiwn y Gogledd

2.1

Dyn 1: Be' wyt ti'n feddwl o'r tiwtor newydd?
Merch 1: Meic? Mae o'n dda iawn, dw i'n meddwl. Mae o'n paratoi llawer, ac mae o'n gweithio'n galed.
Dyn 1: Ydy. Ond mi fasai'n braf cael tipyn bach mwy o hiwmor.
Merch 1: Dw i ddim yn cytuno. Dw i'n chwerthin drwy'r amser!
Dyn 1: Wnest ti dy waith cartre wythnos yma?
Merch 1: Do. Roedd o'n anodd! Do'n i ddim yn dallt yr ail gwestiwn o gwbl. Wnest ti o?
Dyn 1: Naddo. Dw i wedi bod yn rhy brysur yn ddiweddar. Mi fydda i ar goll pan a' i i'r dosbarth, dw i'n siŵr.
Merch 1: Paid â phoeni!

2.2

Dyn 2: Be' wyt ti'n feddwl o'r tiwtor newydd?
Merch 2: Sali? Dw i ddim yn ei hoffi hi o gwbl. Dydy hi ddim yn paratoi.
Dyn 2: Dw i'n ei licio hi. Mae hi'n ddigri.
Merch 2: Does gynni hi ddim amynedd. Mi fasai'n well gen i gael yr hen diwtor yn ôl!
Dyn 2: Wnest ti'r gwaith cartre wythnos 'ma?
Merch 2: Do. Roedd o'n hawdd. Ddysgais i ddim byd newydd. Wnest ti o?
Dyn 2: Naddo. Mi wnes i anghofio fy llyfr cwrs yn y coleg. Gobeithio bydd o yn y dosbarth heno.
Merch 2: Bydd, mae'n siŵr, paid â phoeni.

Cwestiynau

1. Pam mae Sali Tomos yn berson addas i helpu Gwyn?

___

2. Beth roedd mam-gu/nain Gwyn wedi ei ddweud am Caradog Jenkins?

___

3. Pam dylai Gwyn fod yn ofalus wrth ddarllen pethau am Caradog Jenkins?

___

4. Beth ddigwyddodd ym 1830?

___

5. Beth yw/ydy'r broblem gyda llyfr Evan Evans?

___

6. Beth sy'n gwneud 'Lladron Enwog Cymru' yn wahanol i lyfrau eraill am Caradog Jenkins?

___

7. Sut roedd tad-cu/taid Gwyn yn edrych?

___

8. Pam mae Gwyn eisiau gwneud copi?

___

Sgript

Fersiwn y De

Merch:	Bore da, Sali Tomos ydw i. Ga' i'ch helpu chi?
Dyn:	Gwyn Jenkins yw'r enw. Dw i'n chwilio am lyfrau ar hanes yr ardal. Oes unrhyw beth gyda chi?
Merch:	Oes, mae adran gyfan gyda ni ar hanes Llanaber. Dewch gyda fi; fi yw pennaeth yr adran. Dych chi'n chwilio am rywbeth arbennig?
Dyn:	Hanes Caradog Jenkins.
Merch:	Y lleidr enwog? Wel, mae digon o bethau yma. Ga' i ofyn pam?
Dyn:	Dw i'n ysgrifennu llyfr am hanes fy nheulu.
Merch:	Bobol bach, ydy Caradog Jenkins yn perthyn i chi?
Dyn:	Wel, yn ôl mam-gu, nac ydy, dyw e ddim yn un o'n teulu ni. Ond dw i ddim yn siŵr. Beth sy gyda chi am ei hanes e?
Merch:	Mae llawer o bethau wedi cael eu hysgrifennu amdano fe. Llawer o bethau sy ddim yn wir, felly peidiwch credu pob dim sy mewn print.
Dyn:	Oes rhywbeth gyda chi a gafodd ei ysgrifennu cyn mil wyth tri deg?
Merch:	Does dim byd gyda ni o'r amser pan oedd Caradog Jenkins yn fyw, nac oes, ond cafodd nifer o lyfrau eu hysgrifennu ar ôl iddo farw.
Dyn:	Dw i'n gweld. Pa un yw'r llyfr gorau?
Merch:	Y llyfr gorau yw 'Lleidr Cwm Du' gan Evan Evans. Dyna'r un mwya enwog. Yn anffodus, mae'r llyfr hwnnw allan ar hyn o bryd. Mae rhywun arall yn ei ddarllen e.
Dyn:	Dyna drueni. Bydd rhaid i fi ddod yn ôl eto.
Merch:	Ond mae digon o bethau eraill yma. Mae tipyn bach o hanes bywyd Caradog Jenkins yn y llyfr 'Lladron Enwog Cymru' a'r unig lun sy ar gael ohono fe.
Dyn:	Basai hynny'n ddiddorol iawn. Tybed a oedd e'n edrych fel Tad-cu?
Merch:	Wel, roedd Caradog yn ddyn tal a thenau iawn mae'n debyg, os yw'r hanes yn wir.
Dyn:	Ha! Mae hynny'n gwbl, gwbl wahanol i Tad-cu!
Merch:	Chewch chi ddim mynd â'r llyfr hwn adre, ond mae croeso i chi ei ddarllen e yma.
Dyn:	Ga' i wneud copi o'r llun? Basai Mam-gu wrth ei bodd.
Merch:	Cewch, wrth gwrs. Mae'r peiriannau wrth y ddesg. Pob lwc gyda'r chwilio, Mr Jenkins. Rhaid i fi fynd.
Dyn:	Diolch yn fawr iawn am eich help.

Sgript

Fersiwn y Gogledd

Merch:	Bore da, Sali Tomos ydw i. Ga' i'ch helpu chi?
Dyn:	Gwyn Jenkins ydy'r enw. Dw i'n chwilio am lyfrau ar hanes yr ardal. Oes gynnoch chi unrhyw beth?
Merch:	Oes, mae gynnon ni adran gyfan ar hanes Llanaber. Dewch efo fi; fi ydy pennaeth yr adran. Dach chi'n chwilio am rywbeth arbennig?
Dyn:	Hanes Caradog Jenkins.
Merch:	Y lleidr enwog? Wel, mae 'na ddigon o bethau yma. Ga' i ofyn pam?
Dyn:	Dw i'n ysgrifennu llyfr am hanes fy nheulu.
Merch:	Bobol bach, ydy Caradog Jenkins yn perthyn i chi?
Dyn:	Wel, yn ôl Nain, nac ydy, dydy o ddim yn un o'n teulu ni. Ond dw i ddim yn siŵr. Be' sy gynnoch chi am ei hanes o?
Merch:	Mae 'na lawer o bethau wedi cael eu hysgrifennu amdano fo. Llawer o bethau sy ddim yn wir, felly peidiwch â chredu pob dim sy mewn print.
Dyn:	Oes gynnoch chi rywbeth gaeth ei ysgrifennu cyn mil wyth tri deg?
Merch:	Does gynnon ni ddim byd o'r amser pan oedd Caradog Jenkins yn fyw, nac oes, ond mi gaeth nifer o lyfrau eu hysgrifennu ar ôl iddo farw.
Dyn:	Dw i'n gweld. Pa un ydy'r llyfr gorau?
Merch:	Y llyfr gorau ydy 'Lleidr Cwm Du' gan Evan Evans. Dyna'r un mwya enwog. Yn anffodus, mae'r llyfr hwnnw allan ar hyn o bryd. Mae rhywun arall yn ei ddarllen o.
Dyn:	Dyna bechod. Mi fydd rhaid i mi ddŵad yn ôl eto.
Merch:	Ond mae 'na ddigon o bethau eraill yma. Mae tipyn bach o hanes bywyd Caradog Jenkins yn y llyfr 'Lladron Enwog Cymru' a'r unig lun sy ar gael ohono fo.
Dyn:	Mi fasai hynny'n ddiddorol iawn. Tybed a oedd o'n edrych fel Taid?
Merch:	Wel, roedd Caradog yn ddyn tal a thenau iawn mae'n debyg, os ydy'r hanes yn wir.
Dyn:	Ha! Mae hynny'n gwbl, gwbl wahanol i Taid!
Merch:	Chewch chi ddim mynd â'r llyfr hwn adre, ond mae croeso i chi ei ddarllen o yma.
Dyn:	Ga' i wneud copi o'r llun? Mi fasai Nain wrth ei bodd.
Merch:	Cewch, wrth gwrs. Mae'r peiriannau wrth y ddesg. Pob lwc efo'r chwilio, Mr Jenkins. Rhaid i mi fynd.
Dyn:	Diolch yn fawr iawn am eich help.

Bwletin Newyddion 1

Mae pob eitem yn y bwletin yma'n enwi person sy'n ganolog i'r stori, ac mae angen cryn dipyn o esbonio pam mae'r person yn cael ei enwi yn yr eitem, e.e. Cafodd Edward Morris ei arestio gan yr heddlu am ddwyn. Ni ellir disgwyl llawer o aralleirio yma, felly bydd y rhan fwyaf ond yn nodi'r geiriad fel y mae yn yr eitem.

Gweithgaredd difyr gyda'r bwletin newyddion – i'w ddefnyddio gyda phob enghraifft – yw penderfynu pa eitem sy'n haeddu'r flaenoriaeth. Hynny yw, ar ôl cwblhau'r dasg ei hun, rhaid i'r dysgwyr osod yr eitemau yn y drefn y basen nhw'n eu gosod (1-7) pe baen nhw'n olygydd ar y rhaglen. Mae modd defnyddio'r sgriptiau a'u torri allan ar stribedi i wneud hyn, hynny yw, ei gwneud fel tasg ddarllen, yna gweld a ydyn nhw'n cytuno â'r drefn a osodir ar y ffeil sain.

Gyda grwpiau da, mae modd estyn y gweithgaredd ymhellach, e.e. rhoi enwau pobl a llefydd sydd wedi bod yn y newyddion yn ddiweddar a gofyn i bawb mewn parau lunio eu heitemau eu hunain.

Bwletin Newyddion 2

Mae modd defnyddio'r cwestiynau sy'n dilyn a'u trafod mewn grwpiau. Fodd bynnag, gellir canolbwyntio ar elfennau penodol i ddechrau, drwy roi'r tabl canlynol i'r dysgwyr:

	Ble	Ffigwr/Rhif
1.		
2.		
3.		
4.		
5.		
6.		
7.		

Ar gyfer pob eitem, rhaid rhoi lleoliad, ac unrhyw rif neu ffigwr sy'n codi. Gall y rhif fod yn flwyddyn, amser, nifer neu unrhyw ffigwr. Ar ôl gwrando ddwywaith a llenwi'r tabl, gellir rhannu pawb yn barau i'w drafod, e.e. Beth ddigwyddodd yn Aberystwyth? Beth sydd wedi digwydd i'r 200 o weithwyr? ac yn y blaen.

Ar ôl cwblhau'r dasg, gellir dosbarthu un eitem i bob pâr, a gofyn i'r parau lunio eitem estynedig ar sail yr ychydig ffeithiau a roddir – bydd angen ychydig o ddychymyg i wneud hyn.

Bwletin Newyddion 3

Mae'r bwletin hwn yn cynnwys enghreifftiau o'r modd goddefol, sy'n codi'n aml mewn newyddion, e.e. Cafodd... ei.... (Mae 'cafodd' yn fwy ffurfiol na 'gaeth' neu 'mi gaeth'). I wneud pethau'n hawdd, gellir rhoi'r berfenwau perthnasol ar y bwrdd gwyn wrth wrando ar y bwletin:

arestio
anfon
cau
agor
dinistrio
penodi
canslo

Ffordd arall o ddefnyddio'r bwletin yw rhoi un eitem i bob pâr o ddysgwyr, ar stribed o bapur. Rhaid iddyn nhw benderfynu ar un cwestiwn i'w ofyn yn seiliedig ar yr eitem honno. Yna, rhaid i'r tiwtor holi pob pâr am eu cwestiwn, a'u rhoi (yn y drefn iawn) ar y bwrdd gwyn. Yna, gellir gwrando ar y bwletin ei hun, ac ateb y cwestiynau a osodwyd gan y dysgwyr eraill. Ar ôl gorffen, gellir dosbarthu'r cwestiynau a osodwyd yma, a'u cymharu â'r cwestiynau a grëwyd gan y dysgwyr.

Mae digonedd o gyn-bapurau gydag eitemau sy'n helaethach, ac yn cynnwys llawer mwy o iaith 'wastraff' na'r eitemau cryno hyn.

Cwestiynau

Pam mae'r bobl yma yn y newyddion?

1. Edward Morris

____

2. Dewi Gwyn

____

3. Diana Stevens

____

4. Edna Davies

____

5. Jenny Williams

____

6. Kenny O'Donnell

____

7. Pierre Lafont

____

Sgript

Dyma'r bwletin newyddion.

1. Cafodd dyn ei arestio yn Llandudno ddoe. Mae e wedi cael ei gyhuddo o ddwyn gwerth tri deg mil o bunnoedd oddi wrth hen bobl yr ardal. Bydd Edward Morris yn ymddangos yn y llys yr wythnos nesa.

2. Dywedodd y gwasanaeth achub eu bod wedi dod o hyd i ddyn yn fyw ac yn iach ar ôl iddo fod ar goll ar y môr am ddeg awr. Roedd Dewi Gwyn yn pysgota ym Mae Ceredigion pan dorrodd injan y cwch.

3. Cyrhaeddodd gwraig o Gymru arfordir Ffrainc heddiw, ar ôl nofio ar draws y Sianel. Mae Diana Stevens, sy'n dod o Sir Benfro, yn chwe deg saith oed. Cymerodd hi ychydig dros ddau ddeg saith awr i groesi.

4. Cafodd Edna Davies o Donpentre ei hethol yn bennaeth cyngor Cwm Rhondda neithiwr. Cynhaliwyd yr etholiad yn dilyn marwolaeth sydyn Gwenda Morris, yr aelod dros Dreorci.

5. Cafodd llyfr newydd gan yr awdur Jenny Williams ei lansio yn Llandysul heddiw. Roedd plant o'r ysgol leol yno'n gwrando ar yr awdur yn darllen ei gwaith.

6. Chwaraeon nesa. Yn y gêm fawr rhwng Caerdydd a West Ham, collodd y tîm cartref o un gôl i ddim. Roedd y gêm yn ddi-sgôr tan y funud olaf, pan sgoriodd Kenny O'Donnell i dîm West Ham.

7. Agorodd gwesty druta Cymru yn Llangollen heddiw. Mae'r Grand North Hotel yn cynnig llety pum seren, pwll nofio a bwyd gan y cogydd enwog Pierre Lafont. Dywedodd llefarydd ar ran y gwesty eu bod yn llawn am y chwe mis nesa.

Cwestiynau

1. Beth wnaeth achosi'r ddamwain, efallai?

    ____

2. Pam mae'r ffatri'n cau?

    ____

3. Am beth roedd y seiclwr yn enwog?

    ____

4. Pam bydd y ffermwr yn y llys?

    ____

5. Beth wnaeth maer y ddinas heddiw?

    ____

6. I bwy mae'r streic yn achosi problem?

    ____

7. Beth oedd y broblem i'r Eisteddfod?

    ____

Sgript

Dyma'r bwletin newyddion.

1. Mae adroddiad newydd ddod i law am ddamwain car yn Aberystwyth. Does dim manylion gyda ni ar hyn o bryd, ond mae'n debyg fod car wedi taro yn erbyn beic modur. Digwyddodd y ddamwain am wyth o'r gloch y bore 'ma, mewn glaw trwm.

2. Cyhoeddodd Cwmni Bricks Brothers eu bod nhw'n mynd i gau eu ffatri yng ngogledd orllewin Lloegr. Maen nhw'n cynhyrchu deunyddiau i'r diwydiant adeiladu a does dim tai'n cael eu hadeiladu ar hyn o bryd, medden nhw. Bydd dau gant o weithwyr yn colli eu gwaith.

3. Newyddion trist o Sbaen nesa. Bu farw'r seiclwr enwog Alberto Perez yn ei gartref ym Madrid. Enillodd e fedal aur yn y gemau Olympaidd ym mil naw naw chwech. Roedd e wedi bod yn sâl am rai misoedd.

4. Cafodd ffermwr o ardal Llanfyllin ei arestio ddoe am beidio â gofalu am ei anifeiliaid yn iawn. Roedd y ceffylau heb gael eu bwydo'n iawn, a bu'n rhaid lladd dau ohonyn nhw. Bydd e'n ymddangos yn y llys ym mis Medi.

5. Agorwyd ysgol Gymraeg newydd heddiw yng Nghaerdydd gan Faer y Ddinas, John Hughes. Bydd tua dau gant a hanner o blant yn dechrau yn Ysgol y Plas yfory. Dwedodd y Maer ei fod yn ddiwrnod cyffrous i'r plant ac i addysg Gymraeg.

6. Bydd gweithwyr meysydd awyr yn Ffrainc ar streic fore dydd Sadwrn nesa. Bydd y streic yn effeithio ar bobl sy'n hedfan i'r wlad ddydd Sadwrn neu ddydd Sul. Dylai pobl sy'n hedfan dros y penwythnos gysylltu â'r cwmni hedfan. Bydd y streic yn para tair awr.

7. Cyhoeddodd yr Eisteddfod Genedlaethol y bydd yr ŵyl yn cael ei chynnal ar gaeau ger Llanidloes ymhen pedair blynedd. Roedd hi'n anodd iawn cael hyd i safle digon mawr, meddai'r trefnwyr, ond mae'r caeau yma'n lle arbennig o dda ar gyfer yr Eisteddfod.

Cwestiynau

1. Beth ddigwyddodd i'r capten?

___

2. Beth ddigwyddodd i Kevin Thomas?

___

3. Beth ddigwyddodd i'r ysgol?

___

4. Beth ddigwyddodd i'r castell?

___

5. Beth ddigwyddodd i'r llestri yn y ffatri?

___

6. Beth ddigwyddodd i John Davison?

___

7. Beth ddigwyddodd i'r cyngerdd?

___

Sgript

Dyma'r newyddion.

1. Aeth llong o Aberdaugleddau yn erbyn wal yr harbwr yn gynnar y bore 'ma. **Cafodd y capten ei arestio**, ond does dim rhagor o fanylion gyda ni ar hyn o bryd. Yn ffodus, doedd dim olew wedi mynd i'r môr, yn ôl awdurdodau'r harbwr.

2. **Cafodd dyn ei anfon i garchar** am oes yn llys y goron Yr Wyddgrug. Roedd Kevin Thomas wedi ymosod ar ddyn arall mewn tafarn ar ôl gêm bêl-droed yn Wrecsam, a bu'r dyn farw yn ddiweddarach yn yr ysbyty.

3. Bu'n rhaid anfon plant adre o Ysgol y Cwm, Llanaber ddoe. **Cafodd yr ysgol ei chau** ar ôl i weithwyr ddod o hyd i asbestos yn y to. Bydd yr ysgol yn ailagor yr wythnos nesa.

4. Yn y gorllewin, **cafodd castell Aberwylan ei agor** heddiw am y tro cyntaf ers blynyddoedd. Roedd angen codi dros filiwn o bunnoedd i drwsio waliau'r castell, a dywedodd maer y dref fod heddiw'n ddiwrnod cyffrous iawn.

5. Bu tân yn ffatri gwneud llestri Melin yng ngogledd Cymru. **Cafodd popeth yn y ffatri ei ddinistrio**, ond chafodd neb ei anafu.

6. Chwaraeon nesa. **Cafodd John Davison ei benodi'n rheolwr** ar dîm pêl-droed Wrecsam. Bydd e'n dechrau ar ei swydd newydd ym mis Ionawr, pan fydd Dennis John, y rheolwr presennol, yn ymddeol.

7. Ac yn olaf, **cafodd cyngerdd awyr agored Bryn Terfel ei ganslo** neithiwr, achos y gwynt mawr. Dwedodd y trefnwyr ei bod hi'n rhy beryglus, a byddan nhw'n rhoi arian yn ôl i bobl oedd wedi prynu tocynnau.

Deialog 1

1.1

i. 20 mlynedd.
ii. Mae e'n gweithio yno ers 20 mlynedd.

1.2

i. Roedd hi'n rhy hir / ddim yn hoffi'r diwedd.
ii. Achos bod Siôn Gwyn yn actio ynddi.

1.3

i. Treiffl a chacen.
ii. Mae e wedi bwyta gormod.

1.4

i. Mae gormod o broblemau traffig.
ii. Mae hi'n mynd i ysgrifennu llythyr i'r papur eto.

Deialog 2

2.1

i. Dim digon o hiwmor.
ii. Mae e wedi bod yn rhy brysur.

2.2

i. Dyw / Dydy'r tiwtor newydd ddim yn paratoi.
ii. Anghofiodd e'r llyfr cwrs yn y coleg.

Deialog 3

3.1 Hi yw/ydy pennaeth yr adran.
3.2 Roedd hi'n dweud bod Caradog Jenkins **ddim** yn perthyn iddyn nhw.
3.3 Mae llawer o bethau mewn print am CJ sy ddim yn wir.
3.4 Buodd CJ farw.
3.5 Mae'r llyfr allan ar hyn o bryd.
3.6 Yn y llyfr hwnnw mae'r unig lun o CJ.
3.7 Dyn byr, tew.
3.8 I'w roi i'w fam-gu/nain.

Bwletin newyddion

Bwletin newyddion 1

1. Mae e yn y llys wythnos nesa (ar gyhuddiad o ddwyn).
2. Cafodd e ei achub o'r môr.
3. Nofiodd hi ar draws y Sianel.
4. Cafodd hi ei hethol yn bennaeth y cyngor.
5. Roedd hi'n lansio llyfr newydd.
6. Sgoriodd e'r gôl i West Ham.
7. Mae e'n coginio'r bwyd yn y gwesty newydd.

Bwletin newyddion 2

1. Glaw trwm.
2. Does dim tai'n cael eu hadeiladu ar hyn o bryd.
3. Am ennill medal aur yn y Gemau Olympaidd ym 1966.
4. Doedd e ddim wedi gofalu am ei anifeiliaid.
5. Agor yr ysgol Gymraeg newydd.
6. Pobl sy'n hedfan i'r wlad dros y penwythnos.
7. Dod o hyd i le digon mawr i gynnal yr Eisteddfod.

Bwletin newyddion 3

Derbynnir ffurfiau berfol llafar yn yr atebion, e.e. Gaeth, Mi gaethon.

1. Cafodd e ei arestio.
2. Cafodd e ei anfon i'r carchar.
3. Cafodd hi ei chau.
4. Cafodd e ei agor am y tro cynta ers blynyddoedd.
5. Cawson nhw eu dinistrio.
6. Cafodd e ei benodi'n rheolwr.
7. Cafodd e ei ganslo.